신개념 스포츠지도사 문제집

시험대비

# 유아체육론

## 단원별 출제빈도 분석

| 단원 | 2015 유소년 | 2016 유소년 | 2017 유소년 | 2018 유소년 | 2019 유소년 | 2020 유소년 | 2021 유소년 | 2022 유소년 | 누계 (개) | 출제율 (%) |
|---|---|---|---|---|---|---|---|---|---|---|
| 제1장 유아체육의 이해 | | | | 1 | 1 | 2 | | 2 | 6 | 4 |
| 제2장 유아기의 발달 특성 | 3 | | 4 | 4 | 7 | 6 | 5 | 5 | 34 | 21 |
| 제3장 유아기의 운동발달에 관한 이론 | 6 | 6 | 6 | 3 | 5 | 3 | 5 | 4 | 38 | 24 |
| 제4장 유아기 운동발달 프로그램의 구성 | 4 | 9 | 3 | 8 | 1 | 6 | 6 | 6 | 43 | 27 |
| 제5장 유아체육 프로그램의 교수-학습법 | 7 | 5 | 7 | 4 | 6 | 3 | 4 | 3 | 39 | 24 |
| 합계 | 20 | 20 | 20 | 20 | 20 | 20 | 20 | 20 | 160 | 100 |

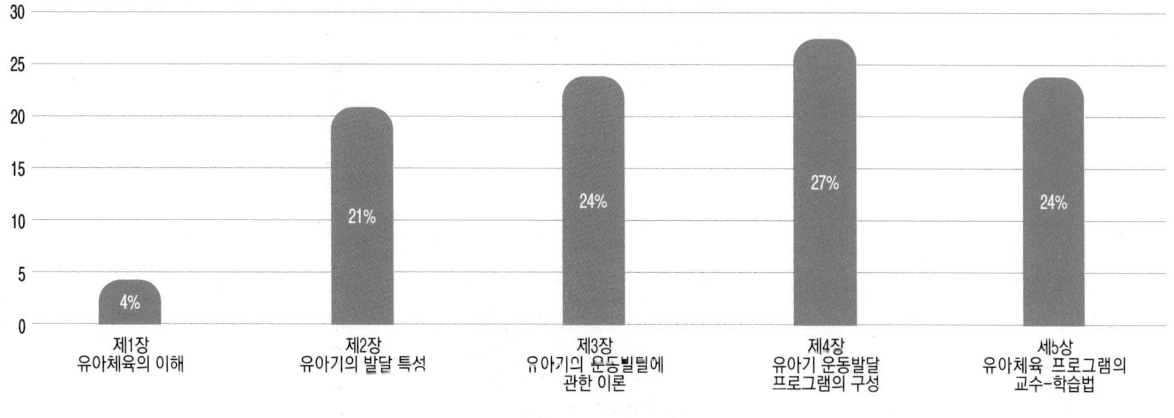


단원별 출제비율 그래프

# 01 Chapter 유아체육의 이해

## 유아체육이란

### 1 발달단계의 구분

소아기는 크게 다섯 단계로 나뉜다.

▶ 신생아(생후 4주간) → 영아(1개월~1세) → 유아(2~5세) → 학령기 아동(6~11세) → 청소년

### 2 유아교육의 정의

☞ 유아교육은 유아기의 어린이들을 대상으로 하여 유아들의 몸과 마음의 특성에 유의하면서 유아들의 발달단계에 알맞은 신체운동을 시킴으로써 몸과 마음이 모두 건강한 어린이로 길러낼 목적으로 하는 교육적인 행동이다.

☞ 신체활동을 통하여 유아의 성장발달을 도와 신체적 · 정신적 · 사회적으로 완전한 전인적 인간으로 만들려는 교육이다.

☞ 유아들이 느끼는 흥미와 관심에 따라서 각종 운동 내용들의 특성을 설정하여 유아의 교육계획에 활용함으로써 운동 놀이로서의 기능을 발휘하고자 하는 교육을 말한다.

☞ 활발한 신체의 움직임을 수반하는 놀이를 통하여 무한한 잠재력을 신장시켜 개인적으로 행복하게 하고, 나아가 그들의 역량을 국가 발전의 자원이 되도록 건강한 신체와 건전한 정신을 기르는 것이다.

### 3 유아체육의 정의

☞ 유아체육은 놀이를 중심으로 한 유아들의 모든 신체활동을 포함하는 것으로, 가장 핵심이 되는 것은 움직임 교육이다.

☞ 유아기의 적절한 운동은 성장 발육과 운동기능의 발달을 가져오고, 유아의 전인적인 성장과 성숙을 위해서도 꼭 필요하다.

☞ 본래 유아는 2~5세의 어린이를 말하지만, 우리나라에서는 스포츠지도사를 양성하는 과정에서 유아와 만 12세 이하의 초등학생까지를 합해서 '유소년'이라 하고, 체육활동을 통하여 유소년들을 전인적인 인간으로 기르려고 하는 교육활동을 '유소년 체육'이라고 한다.

### 4 유아체육의 기본원리

| | | |
|---|---|---|
| ⑧ 자발적인 활동의 원리 | ⑧ 흥미의 원리 | ⑧ 실험의 원리 |
| ⑧ 개별화의 원리 | ⑧ 사회화의 원리 | ⑧ 통합의 원리 |

어린이들이 하는 신체운동은 성인들이 하는 체력운동과는 성격이 전혀 다르다. 어린이들은 재미로 운동놀이를 하는 중에 신체는 물론이고 정신까지도 건전하게 발육발달이 촉진된다.

☞ 유아체육은 신체적 · 정신적 · 정서적 · 사회적 발육 · 발달에 중점을 두어야 한다.

☞ 유아체육은 발달 단계와 민감기를 고려하여 적당한 운동을 적용해야 한다.

☞ 유아체육은 놀이 중심의 다양한 신체활동과 지적 활동이 동시에 이루어져야 한다.

☞ 유아체육은 개인차를 고려해야 한다.

# 필수 및 심화 문제

**필수문제**

**01** 성인체육과 비교 시 유아체육의 특징으로 적절하지 않은 것은?

① 집중력 저하를 고려한 놀이 중심의 신체활동과 지적 활동을 병행한다.
② 신체활동에 의한 성장과 발달을 통해 전인적 인간 육성을 지향한다.
③ 스포츠 활동에 필요한 전문화된 기술 습득을 강조한다.
④ 발육과 발달에 중점을 둔다.

■ 유아체육은 유아들의 발달단계에 알맞은 신체운동을 통하여 몸과 마음이 건강한 어린이로 만들려는 교육이지, 스포츠활동에 필요한 전문적 기술습득을 강조하는 교육이 아니다.

**필수문제**

**02** 보기는 인간의 발달시기를 연령에 따라서 구분한 것이다. (  ) 속에 들어갈 알맞은 단어들로 짝지어진 것은?

보기
배아기(임신~8주) → 태아기(8주~출생 전까지) → ( ㉠ )(0세~4주) → 영아기(4주~1세) → ( ㉡ )(2~5세) → 아동기(6~11세) → ( ㉢ )(12~17세) → 청년기 · 성인기(18세~ )

① ㉠ 갓난이 ㉡ 어린이 ㉢ 소년
② ㉠ 갓난이 ㉡ 어린기 ㉢ 소년 · 소녀기
③ ㉠ 신생아기 ㉡ 젖먹이 ㉢ 어린애
④ ㉠ 신생아기 ㉡ 유아기 ㉢ 청소년기

■ 신생아기(생후 4주간)→영아기(1개월~1세)→유아기(2~5세)→학령기아동(6~11세)→청소년기(12~17세)→청년기 · 성인기(18세~).
■ 발달단계의 구분(p. 2) 참조.

**심화문제**

**03** 후기 아동기의 발달 특징 중 옳은 것은?

① 감각체계와 운동체계의 조화가 잘 이루어지는 시기이다.
② 남아와 여아의 차이가 없다.
③ 눈과 손, 눈과 발의 협응동작이 완벽하게 이루어진다.
④ 지각능력은 거의 발달되지 않는다.

정답 01 : ③, 02 : ④, 03 : ①

필수문제

**04 보기에서 국민체육진흥법(2014)의 유소년스포츠지도사 자격제도에 관한 설명으로 옳은 것을 모두 고른 것은?**

보기
㉠ 유소년은 만 3세부터 중학교 취학 전까지를 말한다.
㉡ '유소년스포츠지도사'란 유소년을 대상으로 체육을 지도하는 사람을 말한다.
㉢ 유소년스포츠지도사는 유소년의 행동양식, 신체 발달 등에 대한 지식을 갖춘다.

① ㉠, ㉡ ② ㉠, ㉢
③ ㉡, ㉢ ④ ㉠, ㉡, ㉢

■ 보기의 ㉠, ㉡, ㉢ 모두 국민체육진흥법 시행령 제2조(정의) 9호에 정해진 것이다.

심화문제

**05 국민체육진흥법 개정(2013)에서 제시하는 유소년의 정의로 옳은 것은?**

① 만3세부터 중학교 취학 전까지의 어린이
② 만3세부터 중학교 1학년까지의 어린이
③ 만3세부터 중학교 2학년까지의 어린이
④ 만3세부터 중학교 3학년까지의 어린이

**06 영유아보육법 (2011) 제1장 제2조에서 정의한 영유아에 관한 내용으로 옳은 것은?**

① 생후 4주부터 1년까지의 아동을 말한다.
② 만 3세부터 초등학교 2학년까지의 아동을 말한다.
③ 만 6세 미만의 취학 전 아동을 말한다.
④ 만 6세부터 초등학교 6학년까지의 아동을 말한다.

■ 영유아보육법 제2장(정의) 제1항 "영유아란 6세 미만의 취학 전 아동을 말한다."

정답 04 : ④, 05 : ①, 06 : ③

**필수문제**

## 07 보기에서 유아기의 운동 효과에 해당하는 내용으로만 묶인 것은?

보기

| | |
|---|---|
| ㉠ 운동기능 발달 | ㉡ 사회성 촉진 |
| ㉢ 원시반사 촉진 | ㉣ 성조숙증 촉진 |
| ㉤ 정서 발달 | ㉥ 체력 발달 |

① ㉠, ㉢, ㉤ ② ㉠, ㉣, ㉤ ③ ㉡, ㉣, ㉥ ④ ㉡, ㉤, ㉥

■ 유아체육은 신체적 · 정신적 · 정서적 · 사회적 발육 · 발달에 중점을 두어야 한다.

**필수문제**

## 08 유아체육의 지도 원리와 설명으로 적절하지 않은 것은?

① 표현성 원리 : 음악의 리듬에 맞추어 효과적인 표현지도
② 사회화 원리 : 소규모 집단으로 구성하여 지도
③ 연속성 원리 : 연령, 건강, 체력 등의 특성을 고려하여 지도
④ 흥미성 원리 : 흥미를 존중하여 학습 능력을 높이도록 지도

■ 이미 습득한 동작과 새로 배우려는 동작 사이에 연속성이 있어야 한다.

**심화문제**

## 09 누리과정에서 제시한 유아체육의 목표에 해당하지 않은 것은?

① 원시반사에 의존하여 자극에 반응하게 한다.
② 신체 각 부분의 명칭을 알고 움직임에 관심을 가지게 한다.
③ 신체 각 부분의 움직임을 조절해보며, 눈과 손을 협응하여 소근육을 조절한다.
④ 자신과 다른 사람의 운동능력의 차이를 이해하며 친구와 함께 신체활동에 참여한다.

■ 원시반사에 의존하여 자극에 반응하게 하는 것은 유아체육의 목표가 될 수 없다.

## 10 신체활동을 통하여 유아의 성장 · 발달을 도와 신체적 · 정신적 · 정서적 · 사회적으로 건전한 인간으로 성장시키려고 노력하는 것을 유아체육이라고 한다. 다음 중 유아체육이 성인체육과 다른 점을 잘못 설명한 것은?

① 신체적 · 정신적 · 정서적 · 사회적 발육 · 발달에 중점을 두어야 한다.
② 발달단계와 민감기를 고려하여 적절한 운동을 적용해야 한다.
③ 놀이 중심의 다양한 신체활동과 지적활동이 함께 이루어져야 한다.
④ 유아는 개인차가 거의 없으므로 개인차를 고려할 필요는 없다.

■ 유아의 발달은 개인차가 크다.

정답 07 : ④, 08 : ③, 09 : ①, 10 : ④

**필수문제**

**11 유아의 학습행동 발달 유형의 순서를 바르게 나열한 것은?**

① 탐색 – 탐구 – 활용 - 인식
② 인식 – 탐색 – 탐구 – 활용
③ 탐구 – 활용 – 인식 - 탐색
④ 활용 – 인식 – 탐색 – 탐구

■유아의 학습행동 발달 순서 : 인식→탐색→탐구→활용

**심화문제**

**12 유아의 발달적 특성을 고려한 신체활동 지도 방법으로 적절하지 않은 것은?**

① 지도 내용과 방법에 변화를 준다.
② 개인차를 고려하여 적절한 자극을 부여한다.
③ 놀이 상대를 바꾸어 주어 흥미를 유지한다.
④ 목표 설정이 없는 동일한 활동을 반복한다.

■유아의 신체활동을 지도할 때 목표를 설정하지 않은 동일한 활동을 반복해서는 안된다.

**필수문제**

**13 미국 스포츠·체육교육협회(NASPE)의 유아기 신체활동 촉진을 위한 지도지침으로 적절하지 않은 것은?**

① 매일 최소 60분의 계획된 신체활동에 참여해야 한다.
② 안전한 실내와 실외에서 대근육 활동을 해야 한다.
③ 근육과 뼈를 강화시키는 신체활동은 피하게 한다.
④ 수면시간을 제외하고 60분 이상 눕거나 앉아 있지 않도록 한다.

■미국스포츠 · 체육교육협회(NASPE)의 유아기 신체활동 촉진 지도지침

1. 매일 최소 60분 정도의 구조화된 신체활동을 해야 한다.
2. 매일 60분에서 몇 시간까지 구조화되지 않은 신체활동을 한다.
3. 수면시간을 제외하고 60분 이상 앉거나 누워 있지 말라.
4. 매일 최소 60분 정도의 뼈와 근육을 강화시키는 신체활동을 한다.
5. 권장 안전기준에 적합한 실내공간과 실외공간에서 대근육활동을 해야 한다.
6. 신체활동에 대한 중요성을 인식하고 유아가 운동기술을 쉽게 발휘할 수 있게 한다.

정답 11 : ②, 12 : ④, 13 : ③

# 02 Chapter 유아기의 발달 특성

## 신체적 발달의 특성

발육은 형태적인 측면에서 양적으로 증대되었다는 뜻이고, 발달은 기능적인 측면에서 질적으로 향상되었다는 뜻이며, 성장은 발육과 발달을 아우르는 단어이다.

### 1 신체부위별 발육비율

어린이들의 신체 각 부위가 발육될 때에는 부위마다 각각의 특징이 있기 때문에 일률적으로 자라는 것이 아니다. 신체의 전체 길이가 머리길이의 4배가 되면 4등신, 5배가 되면 5등신이라고 한다. 체형으로 보면 젖먹이는 짱구이고, 0~1세는 4등신, 2~5세는 5등신, 성인은 7~8등신이다.

### 2 스캐몬의 발육곡선

미국의 해부학자 스캐몬(Scammon, R. E.)이 뇌신경계통, 근육골격계통, 생식샘계통, 림프계통의 발육상황을 보여주기 위해서 20세 때의 질량을 100으로 보았을 때 연령별 크기를 그래프로 그린 것이다.

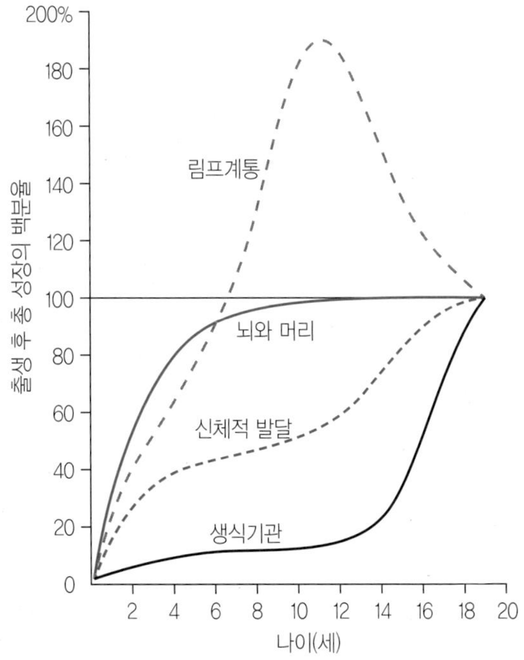


스캐몬의 발육곡선 그래프

① 인간이 태어나서 성인이 될 때까지(0~약 19세) 신체가 고르게 발달하는 것이 아니다.

② 뇌와 머리(신경계통)가 가장 빨리 발달하고, 생식기관이 가장 늦게 발달한다.

③ 림프계통은 청소년기 초기에 지나치게 발달(약 200%)하였다가 청소년기 후기에 쇠퇴하여 성인기의 크기로 축소된다.

④ 근골격계통(신체적 발달)은 신생아기와 영아기에 급속히 발달하다가 정체기를 맞고, 이후 사춘기(청소년기)에 다시 급속하게 발달하여 성인기에 이른다.

### 3 신체발달의 기본원리

☞ 발달은 유전과 환경의 역동적인 상호작용을 통해서 이루어진다.

☞ 발달은 일정한 순서와 방향성을 갖는다.

» 기어 다니다가 앉고, 앉게 된 다음에 서게 된다. 선 다음에 걷게 되듯이 일정한 순서가 있다.

» 신체 · 운동은 일정한 방향성을 갖고 발달한다.

머리–꼬리의 법칙 : 머리 부분이 먼저 발달한 다음 하체부분이 발달한다.

중심–말초의 법칙 : 신체의 중심부가 먼저 발달한 다음 말초가 발달한다. 또는 중추신경이 먼저 발달한 다음 말초신경이 발달한다.

전체–부분의 법칙 : 일반적이고 전체적인 행동에서 점차 분화되어 부분적인 행동으로 진전되어 나간다. 예 : 처음엔 소리에 몸 전체로 반응을 보이던 영아가 점차 고개만 돌릴 수 있게 된다.

☞ 발달은 계속적인 과정이지만, 발달의 속도는 일정하지 않다.

☞ 발달에는 결정적인 시기가 있다.

» 특정한 시기에 어떤 기관이나 기능의 발달이 급격하게 이루어진다. 그 시기를 '결정적 시기'라고 하고, 결정적 시기의 발달은 환경의 영향을 크게 받는다.

☞ 발달에는 개인차가 있다.

» 발달은 일정한 순서에 따라 이루어지지만, 발달의 속도와 형태에는 개인차 또는 성차가 있다.

☞ 발달의 각 영역은 상호 밀접한 연관이 있다.

» 신체적 발달, 인시적 빌달, 정서적 발달, 사회적 발달, 성격 등은 각각 분리되어 발달하는 게 아니라 서로 밀접한 연관이 있어서 총체적으로 발달한다.

### 4 반사와 발달

신생아가 생애 초기에 보이는 대부분의 운동행동은 반사행동으로 이루어져 있다. 특정 자극에 대한 무의식적이고 자동적인 반응을 '반사행동'이라 한다. 대부분의 반사행동은 중추신경계의 하부영역(예 : 척수)에서 관장한다.

대부분의 반사행동은 연령이 증가함에 따라 뇌의 고등영역이 발달하면서 의식적 운동으로 대치되거나 사라진다. 신생아의 반사행동은 다음과 같은 역할을 한다.

☞ 아기의 생존을 돕는 역할을 한다……젖찾기반사, 젖빨기반사, 쥐기반사 등은 기본적인 생명을 유지하고 보호할 수 있도록 도와주는 역할을 한다.

☞ 미래의 움직임을 예측할 수 있게 하는 역할을 한다……걷기반사는 미래의 걷기동작을 연습하는 기회를 제공하는 것으로 볼 수 있다.

☞ 영아의 운동행동을 진단하는 역할을 한다……특정한 시기에 나타나는 반사는 적당한 시기가 되면 수의적인 움직임으로 대치되면서 사라져야 한다. 그러므로 특정 반사의 출현과 소멸 시기를 관찰함으로써 신경상태의 이상 유무를 예측할 수 있다.

☞ 그러나 "신생아의 모든 반사행동의 기능과 기제를 일률적인 개념으로 이해할 수는 없다."는 것이 일반적인 정설이다.

신생아의 반사행동은 크게 원시반사, 자세반사, 이동반사로 나눌 수 있고, 반사행동과 유사한 스테레오타입 행동도 있다.

| | |
|---|---|
| 원시반사 | 영아의 생존 또는 생명보호와 관계가 있다. 대부분의 원시반사는 태내에서부터 나타난다. 손바닥쥐기반사, 젖찾기반사, 젖빨기반사, 모로반사, 대칭목경직반사, 비대칭목경직반사 , 발바닥오므리기반사, 바빈스키반사 |
| 자세반사 | 자세를 유지하기 위하여 나타나는 반사행동이다. 중력반사, 낙하반사, 미로반사, 턱걸이반사, 머리-신체 일치반사 |
| 이동반사 | 기기반사, 걷기반사, 수영반사 |
| 스테레오타입 행동 | 반사행동은 자극에 의해서 나타나지만, 스테레오타입 행동은 특정한 자극 없이도 발생한다는 것이 다르다. 발과 다리의 스테레오타입 행동, 몸통의 스테레오타입 행동, 손 · 팔 · 손가락의 스테레오타입 행동 |

### 5 신경기능의 발달

신경기능의 발달은 유아기에 가장 현저해서 민첩성과 교치성이 급속하게 발달한다. 5살 어린이의 체중은 성인의 약 1/3이지만, 신경기능은 성인의 2/5 정도이다. 그러므로 유소년기에는 가급적 많은 운동경험을 하게 해서 민첩성, 교치성, 평형성 등을 몸에 익힐 수 있게 해야 한다.

### 6 근육기능의 발달

신체의 운동은 뼈에 붙어 있는 근육이 신경의 명령에 따라 활동함으로써 이루어진다. 발육과 함께 근육의 길이와 두께는 성장하지만, 근육을 이루고 있는 근육섬유의 수는 변하지 않는다. 근육섬유의 수가 그대로 있더라도 근육의 두께가 두꺼워질 수 있는 이유는 근육섬유 사이에 있는 결합조직과 근수축에 필요한 화학물질의 양이 증가하기 때문이다.

5살 어린이의 경우 체중은 성인의 약 1/3 정도 되는 데 비하여 근력은 성인의 약 1/6밖에 되지 않는다. 그러기 때문에 "유아가 자전거나 스키를 연습할 때에는 부모 못지 않게 발전하지만, 물통의 물을 운반하는 데에는 전혀 도움이 되지 못한다."

### 7 호흡기능의 발달

안정시 호흡수는 신생아가 분당 50~60회, 1세 어린이가 30~35회, 2세 어린이가 25~30회, 5세 어린이가 20~25회, 성인이 16~18회이다.

### 8 순환기능의 발달

| 연령 | 신생아 | 1세 | 2세 | 3세 | 4세 | 5세 | 성인 |
|---|---|---|---|---|---|---|---|
| 안정시 심박수 | 120~160 | 120~140 | 110~120 | 100~110 | 95~105 | 90~110 | 60~70 |

☞ 유아들은 20미터 달리기를 한 직후의 맥박수가 안정시 맥박수보다 오히려 적은 서맥현상을 보인다(성인은 운동 직후의 맥박수가 사상 많다).

☞ 가장 어린 나이(4세 전반)에는 서맥현상이 뚜렷하지만, 6세 후반이 되면 서맥현상이 거의 없어져서 성인의 형태와 비슷해진다.

### 9 에너지 대사능력의 발달

대사량의 측면에서 보면 어린이들은 모두 대식가인 셈이다. 그 이유는 어린이들은 어른보다 더 많이 움직이기 때문에 더 많은 에너지를 필요로 한다. 그리고 어린이들의 대사량은 개인차가 아주 큰 것도 특징 중의 하나이다. 4~5세의 어린이 중 아주 활발한 아이가 얌전한 아이보다 약 2배의 에너지가 필요하고, 보통 아이는 얌전한 아이보다 약 1/3의 에너지가 더 필요하다.

### 10 수면(睡眠)의 발달

수면은 보통 렘수면과 비렘수면으로 나눈다. 렘수면은 안구가 빠르게 운동하고 있는 상태로 깨어 있는 것에 가까운 얕은 수면이고, 비렘수면은 정말로 잠을 자는 시간으로 잠의 깊이에 따라서 4단계로 나눈다.

신생아는 하루의 약 2/3 정도 잠을 자는데, 그중의 약 절반이 렘수면이다. 5~9세가 되면 렘수면 시간이 성인과 거의 같아지고, 렘수면 시간은 더 이상 줄지 않는다.

## 인지적 발달의 특성

### 1 지능의 발달

어떤 문제에 봉착했을 때에 그 문제를 해결해 나갈 수 있는 능력을 '지능'이라 한다. 지능은 무엇을 외워서 아는 것과 같은 단순한 지식과는 다르기 때문에 '가지고 태어난 지식'이라고도 하며, 지능은 출생 후에 받는 교육 등에 의해서 발달된다.

1세가 되어서 걷기 시작하면 생활공간이 갑자기 비약적으로 확대되기 때문에 지능도 급속도로 높아진다.

2세가 되면 달릴 수 있을 정도로 행동능력이 좋아질 뿐 아니라 지능도 한 층 더 높아져서 그림을 그리거나 글씨를 쓸 수도 있고, 리듬에 맞추어서 몸을 움직이기도 하고, 노래를 부르기도 한다.

3세가 되면 언어적인 지시에 반응할 수도 있고, 형태에 대한 개념이 상당히 명확해져서 원, 삼각형, 사각형을 구분하고 종이에 그릴 수도 있다. 4세가 되면 물건의 수를 계산할 수도 있게 된다.

5세가 되면 지능이 상당히 높은 수준에 도달하여 동물의 소리를 흉내 낼 수도 있고, 장난감을 조립할 수도 있다. 집단적인 놀이를 할 수 있고, 놀이 친구 중에서 누가 좋은지 확실히 대답할 수 있을 정도로 판단력이 생긴다.

### 2 감각의 발달

0~6세는 지적 활동의 발달에 필요한 일정한 능력을 습득하기 위한 감각적 활동이 매우 민감한 시기이다. 감각기능은 정신 · 신경 발달 중에서 가장 빨리 완성되는 기능이다.

☞ 피부감각(촉각, 습도감각, 통각)은 출생 시 가장 강하게 발달된 감각이고, 태어날 때부터 맛을 구별할 수 있다.

☞ 후각은 태어날 때에는 잘 발달되어 있지 않으나 모유에 대해서는 반응을 보인다.

☞ 청각은 태내에 있을 때부터 발달하는 것이 증명되었다.

☞ 시각은 감각 중 가장 늦게 발달한다. 출생 시에는 두 눈이 협동이 잘 되지 않아 동일하게 움직이지 못하기 때문에 혹시 내 아이가 사시(사팔뜨기)가 아닌지 걱정하게 되지만, 생리적 사시는 생후 6개월 전후에 사라진다.

일상생활에서는 하나의 감각기관이 독립적으로 발달하거나 작용하는 것이 아니라 여러 개의 감각기관이 서로 영향을 주고받으며 전체적으로 통합되어 발달된다. 그러므로 유아의 감각기관이 형성되고 발달하는 시기에 감각이 잘 발달되도록 도와주어야 한다는 것이 '몬테소리 감각교육'이다.

### ❸ 인지발달 이론

피아제(Piaget, J.)가 주장한 "인간의 지적 능력은 타고 난 것이지만, 신체적 성숙과 환경적 경험에 의해서 정신적 과정이 점진적으로 재조직되는 것이 인지발달"이라는 이론이다.

이것을 설명하기 위해서 **피아제는 도식과 적응이라는 개념을 설정했다.**

| | |
|---|---|
| 도식<br>(schema) | 도식은 사물이나 사건에 대한 전체적인 윤곽을 말한다. 예를 들어 "바퀴가 2개이고, 사람이 타고 다니는 것이 자전거이다."라고 배웠다고 하면 그 아이는 "바퀴가 2개이고, 사람이 타고 다니는 것은 자전거이다." 라는 도식을 갖게 된다. |
| 적응<br>(순응, adaptation) | 적응은 환경과의 상호작용을 통해서 새로운 도식을 만들거나 기존의 도식을 변화시키는 것을 의미하는데, 이것은 동화와 조절이라는 두 가지의 상호 보완적인 과정을 통해서 이루어진다. |
| 동화<br>(assimilation) | 자전거라는 도식을 가지고 있는 아이가 다음 날 오토바이를 보았다고 하자. 그러면 자신이 가지고 있던 자전거라는 도식과 비교해서 같으므로 "야! 자전거다!"라고 소리치는 것이 '동화'이다. |
| 조절<br>(accommodation) | 그런데 엄마가 "아니야! 저것은 오토바이야!"라고 가르쳐주면 아이는 일시적으로 혼란에 빠진 다음 자전거와 오토바이의 차이점을 찾기 시작한다. 그 결과 "자전거는 바퀴가 2개이고, 페달을 밟으면서 타고 다니는 것이다."라는 도식과 "오토바이는 바퀴가 2개이고, 엔진의 힘으로 달리는 것이다."라는 도식이 생기는 것처럼 기존의 도식을 수정하거나 조절해서 새로운 도식을 만들어 내는 것이 '조절'이다. 위의 예에서 만약 오토바이를 보지 못했으면 새로운 도식이 생기지 않았을 것이다. 그러므로 동화와 조절이 잘 이루어질 수 있도록 어린이들에게는 많은 것을 보고, 듣고, 경험할 수 있게 하는 것이 중요하다는 것이다. |
| 평형(equilibrium) | 새로운 상황에서 일관성과 안전성을 이루려는 시도. 이것은 계속적인 동화와 조절의 과정을 통해 이루어진다. |
| 조직화<br>(organizing) | 조직화는 유기체가 현재 가지고 있는 도식을 새롭고, 더욱 복잡한 도식으로 변화시키는 과정을 말한다. 오토바이와 자전거를 구분할 수 있게 된 아이가 '탈 것'이라는 범주 안에 오토바이, 자전거, 버스, 승용차, 배, 비행기 등을 포함시키고, 그 범주 안에 있는 것들을 서로 구분할 수 있도록 만드는 것을 '조직화'라고 한다. |

### ❹ 인지발달의 단계

물체 또는 대상이 시야에서 사라져도 그 물체가 계속 존재한다고 믿는 것을 '대상의 영속성'이라고 한다. 다음은 피아제가 한 유명한 실험이다.

☞ 생후 6~7개월 된 아이가 보는 앞에서 장난감을 천천히 이불 밑으로 숨기면 그 과정을 열심히 들여다 본 아이라도 장난감을 다시 찾지 않는다. 이것은 이 시기에 있는 아이들은 눈앞에서 사라지면 그 물체는 존재하지 않는다고 믿기 때문이다.

☞ 그러나 10개월쯤 된 아이는 물체가 시야에 사라져도 계속해서 존재한다고 믿기 때문에 장난감을 다시 찾는다. 즉, 대상의 영속성은 처음부터 갖고 태어나는 능력이 아니라 9~10개월이 되어야 (성숙되면서) 생기는 능력이다.

☞ 피아제는 이처럼 특정 능력은 특정한 때가 되어야 발달한다고 하면서 인간의 인지발달은 4단계를 거치게 되고, 각 단계들은 질적으로 차이가 있기 때문에 정해진 순서대로 진행되며, 단계가 높아질수록 복잡성이 증가된다고 하였다.

① 감각운동기(0~2세)

영아가 손가락이나 물건을 자신의 입에 넣고 빠는 등 감각(시각, 청각, 촉각 …)과 운동기술을 사용해서 외부 환경과 상호작용을 한다는 의미에서 '감각운동기'라고 이름 붙였다. 이 시기 동안에는 대부분의 반사행동이 없어지고, 간단한 지각능력과 운동능력이 생긴다. 또한 대상의 영속성이 생기기 때문에 엄마와 떨어지지 않으려 하고 낯가림을 한다.

② 전조작기(2~7세)

어떤 논리적인 사고를 통해서 조작하는 행위를 할 수 있기 이전의 시기라는 의미에서 '전조작기'라고 한다. 이 시기에는 자신이 내재적으로 가지고 있는 표상을 언어나 그림으로 표현할 수 있고, 모방이나 기억이 가능하며, 반사행동이 자신의 의도에 따라 계획된 목적행동으로 바뀌게 된다.

전조작기에 있는 아이들의 사고방식 중에서 주요한 특징은 다음과 같다.

| | |
|---|---|
| 상징적 사고 | 소꿉놀이나 병원놀이와 같은 가상적인 사물 또는 상황을 실제 사물이나 상황처럼 상징적으로 생각한다. |
| 자기중심적 사고 | 타인의 생각, 감정, 지각, 관점 등이 자신과 동일하리라고 생각하기 때문에 남을 배려하지 못하고, 보는 위치에 따라서 산의 모양이 달라진다는 것을 이해하지 못한다. |
| 직관적 사고 | 직관적인 특성에 의해서 대상을 이해하려고 한다. 예를 들어 A, B 두 비커에 같은 양의 물이 들어 있는 것을 보여준 다음 하나를 다른 모양의 그릇에 붓고 어느 쪽이 더 많으냐고 물어보면 둘 중에 하나가 더 많다고 대답하면서 높이가 높다든지, 넓이가 넓다든지 하는 이유를 댄다. |
| 물활론적 사고 | 모든 사물에 모두 생명이 있다고 여기기 때문에 인형이나 장난감과 대화하며 논다. |
| 인공론적 사고 | 모든 것을 사람이 만들었다고 생각한다. 모든 것이 나를 위해서 만들어졌다고 생각한다. |

③ 구체적 조작기(7~11세)

구체적인 문제들 또는 구체적인 의미에서 쉽게 상상될 수 있는 사물이나 문제들에 대해서만 논리적이고 체계적으로 사고할 수 있고, 순수하게 추상적인 내용에 대해서는 사고할 수 없기 때문에 붙여진 이름이다.

이 시기의 아이들은 인지능력이 현저하게 발달되어서 자기중심적 사고에서 벗어나게 되고, 비커에 있던 물을 다른 그릇에 담아도 그 양은 변하지 않는다는 것을 이해할 수 있게 된다(보존개념의 획득).

보존개념 이외에 구체적 조작기의 아이들이 갖는 사고방식의 특징은 다음과 같다.

| | |
|---|---|
| 유목화 | 자동차, 배, 비행기는 서로 모양이 다르지만 '운송수단'이라는 공통점을 이용해서 하나의 범주로 유목화하는 것처럼 공통점과 차이점, 관련성 등을 이해할 수 있다. |
| 서열화 | 사물이나 대상을 크기, 무게, 밝기 등과 같은 특성에 따라서 순서를 매길 수 있다. |

④ 형식적 조작기(11~15세)

구체적으로 존재하지 않는 추상적인 사상이나 개념에 대해서도 논리적이고, 체계적으로 생각할 수 있으며, 실제와 다른 가설적인 상황에 대해서도 사고가 가능한 시기라는 의미이다.

형식적 조작기에 있는 아이들의 사고의 특징은 다음과 같다.

| | |
|---|---|
| 가설-연역적 사고 | 가능성에 대해 연역적으로 사고하고, 이를 체계적으로 시험하여 결론에 이르는 생각의 형태를 뜻한다. |
| 추상적 사고 | 실제에 근거하지 않고 논리적 가능성에 근거하여 사고하는 능력을 말한다. 현실에 존재하지 않는 가능성에 대해서도 사고할 수 있다는 측면에서 사고가 매우 탄력적이고 유연해진다. 이들은 현실과 가능성을 구분하고, 무엇이 가능한 것인지에 대해 생각할 수 있으며, 창조적이고 독창적인 상상을 할 수 있다. |
| 과학적 사고 | 주어진 문제를 해결하기 위하여 사전에 일련의 계획을 세우고 체계적으로 시험하면서 해결책을 찾을 수 있게 된다. |
| 체계적 사고 | 자신의 이상적인 기준에 따라 자신의 주장과 타인의 주장을 비교 · 분석 할 수 있다. |

## 정서적 발달의 특성

### 1 정서의 발달

☞ 한 살짜리 아기는 0살짜리 아기에 비해서 정서가 분화되기는 했지만 아직까지는 쾌 · 불쾌만 따라가고, 흥미의 지속시간도 극히 짧다.

☞ 두 살이 되면 말이 늘어서 추어올려주면 신이 나서 하라는 대로 잘 한다. 즉, 칭찬의 효과가 즉각적으로 나타나는 시기이다.

☞ 세 살이 되면 정서가 더욱 더 분화된다. 즐거움, 슬픔, 좋음, 화남, 두려움 등 단순한 쾌 · 불쾌보다는 좀 더 세밀한 감정을 나타낼 수 있게 된다. 그와 동시에 자신과 외부 세계와의 대립을 경험하기 때문에 세 살 후반이 되면 반항을 하고, 정서적으로 불안정한 상태가 자주 목격된다. 이 시기의 어린이를 어른이 대하는 태도가 그 아이의 정서 형성에 아주 큰 영향을 미치게 된다. 용인하는 태도로 대하면 버릇이 없어지고, 심하게 나무라면 밤에 오줌을 싸는 원인이 된다. 태어난 이후 처음으로 정서불안을 겪는 시기가 세 살 후반이다.

☞ 네 살이 되면 정서가 급격하게 안정된다. 칭찬받을 수 있는 일과 그렇지 않은 일을 구분해서 하는 여유도 생긴다.

☞ 다섯 살이 되면 정서가 더욱 더 세분화되어서 다른 사람과 공감하고, 동정하고, 원망하고, 부석하려는 생각 등 사회적으로 세밀한 정서적인 감정을 갖게 된다.

### 2 욕구의 발달

어린이들에게 있는 여러 가지 욕구들을 아래 표와 같이 분류할 수 있다. 그러한 욕구 중에서 체육과 관계가 깊은 것은 활동과 휴식의 욕구이다.

어린이들의 욕구

| 구분 | 욕구의 예 |
|---|---|
| 생리적 욕구 | 식음의 욕구, 성적 욕구, 활동과 휴식의 욕구 |
| 신체적 욕구 | 위험으로부터 도피욕구, 분노와 투쟁의 욕구 |
| 사회적 욕구 | 사회적 관계에 끼어들고 싶은 욕구, 다른 사람과 똑 같고 싶은 욕구, 다른 사람을 사랑하고 다른 사람으로부터 사랑받고 싶은 욕구, 다른 사람보다 우월하고 싶은 욕구, 자기 표현의 욕구, 자기 주장의 욕구 |
| 물질적 욕구 | 탐색의 욕구, 장난감을 갖고 싶은 욕구, 흥미의 욕구 |

어린이들이 참는다는 것은 쉬운 일이 아니고, 하고 싶은 일을 즉시에 하지 않으면 기분이 상하기 때문에 '잠깐만'이라는 말이 통하지 않는다.

### 3 흥미의 발달

어린이들은 아직 알지 못하고 있는 것이 대단히 많기 때문에 무엇이든지 알고 싶어 한다. 어린이들은 일단 호기심이 발동하면 그것을 마음속에 담아두고 있지 못하고 반드시 직접 행동으로 부딪쳐봐야 한다.

## 사회적 발달의 특성

### 1 사회성의 발달

- ☞ 한 살짜리 아기에게는 부모와 형제 등 가족집단이 중요한 사회이다.
- ☞ 두 살이 되면 행동공간이 넓어져서 이웃에서 사는 놀이 친구가 생긴다.
- ☞ 세 살이 되면 약속을 할 수도 있고, 집단적인 놀이도 할 수 있으며, 소꿉놀이도 할 수 있게 된다. 그러나 세 살 후반에 접어들면 정서가 불안정한 시기에 들어가기 때문에 싸우기 시작하고 친구와 같이 놀지 않게 된다. 혼자 놀아도 여전히 잘 논다.
- ☞ 네 살이 되면 정서가 다시 안정되고, 친구를 그리워하게 되기 때문에 친구를 사귀기 시작한다. 상대의 존재를 인식하고, 자기 주장을 함과 동시에 타협의 필요성도 체험하게 된다. 경쟁심도 나타나기 시작하지만 서로 협력하는 것도 알게 된다.
- ☞ 다섯 살이 되면 사회성이 급격하게 발전해서 놀이 친구가 3~4명으로 늘어나고, 각자가 아이디어를 내기도 하며, 놀이의 종류가 많아질 뿐 아니라 방법도 변화된다. 놀이 친구들이 놀이집단을 형성하기 시작하고, 놀이 친구 중에 대장이 나타나며, 놀이 친구들이 고정화되고, 공동의 목표를 설정해서 그것을 달성하려고 협력하며, 놀이의 매너를 배우고, 놀이의 규칙을 새로 만드는 등 조직화되기 시작한다.

## 2 유아집단의 기능

아기가 성장함에 따라서 가족, 이웃, 학교 등 몇몇 집단의 구성원이 되어간다. 그러한 유아집단들의 가장 큰 특징은 놀이를 중심으로 하는 집단이라는 것이다. 어린이가 유아집단에서 노는 것은 신체, 정신, 사회성에 미치는 영향이 대단히 크다. 다음은 유아들의 놀이집단의 기능을 요약한 것이다.

☞ 놀이의 종류나 내용이 다채로워지고, 노는 시간도 길어지기 때문에 신체에 미치는 영향이 한층 더 높다.

☞ 집단놀이를 통해서 지적 발달을 촉진할 수 있다. 노는 친구들과 자신 사이에 좋거나 싫은 감정이 생기고, 이기거나 지는, 손해를 보거나 이득을 보는, 강하거나 약한 관계가 있다는 것을 깨닫게 된다.

☞ 정서의 지배와 관계되는 것을 배우는 데에 중요하다. 유아들은 친구들과 노는 가운데 즐거움, 기쁨, 슬픔, 두려움, 미움, 질투심과 같은 감정이 생기는 것을 경험하게 된다. 그러한 감정들을 표현하는 방법을 배우고, 감정을 표출하는 방법이 사회적으로 용인되지 않을 경우 그것을 제어하는 방법도 학습한다.

☞ 놀이를 통해서 기본적인 사회적 관계의 모습을 이해할 수 있게 된다. 놀이도구를 혼자 차지하려 하거나 좋은 것은 항상 자기가 하려고 하는 등 제멋대로 구는 친구가 있으면 다른 친구들이 같이 놀려고 하지 않고, 억지로 놀게 되더라도 금방 싸워서 놀이가 깨져버린다. 놀이는 평등한 조건에서 능력이 비슷한 아이들끼리 하는 것이지 그렇지 않으면 놀이가 재미없다는 것을 어린이들도 안다. 대형 놀이를 할 때에는 모두 힘을 합쳐서 책상을 옮기고, 필요한 것을 나누어서 가져오며, 공동의 목적을 위해서 협력해야 한다는 것을 어린이들이 배운다.

☞ 다섯 번째로 놀이를 하는 중에 동료(타인)를 존중하는 것, 놀이를 재미있게 하는 방법(경쟁과 협력), 행동의 규준(규칙과 법) 등 사회에 적응하는 데에 꼭 필요한 기초적인 사회성을 배운다.

## 놀이와 탐색

놀이와 탐색은 비슷한 의미처럼 보이지만, 서로 분명히 다른 개념이다. 행동 · 구조 · 동기 · 기능 측면에서 모두 차이가 있다.

탐색은 정보를 수집하기 위한 일종의 모험이다. 즉 탐색 기능은 정보 수집이다.

반면 놀이는 정보 수집같은 특정 결과에 관심을 두는 것이 아니며(Pellegrini, 2009), 놀이를 하는 과정에서 자연스럽게 연습이 이루어질 수도 있다. 놀이와 탐색은 발생하게 되는 동기도 다르다(Hutt, 1966).

탐색은 탐색 대상물을 알기 위하여 “이 물건(때로는 물체)은 무엇인가?”라는 질문으로부터 나오는 활동이다. 아동은 만져 보고, 입에 넣어 보고, 돌려 보고, 떨어뜨려 보는 등의 행동으로 무엇인지를 알아보려고 한다(정보 획득). 즉 탐색을 한다.

이동은 충분히 탐색하여 그 사물이 익숙해진 다음에야 그것을 가지고 놀이할 수 있다(정형화).

탐색할 때는 별다른 정서표현이 없거나 부정적인 정서상태(심각함)이고, 심장박동이 빠른 편이며, 주의가 산만해지지 않는다(낮은 변화성).

놀이는 사물보다 사람이 중심이 되는 활동(익숙한 물체)으로 “나는 이 물건으로 무엇을 할 수 있나(자극 생성)?”라는 질문에서부터 나온다.

아동이 놀이를 할 때에는 긍정적인 정서상태로서 이완되어 있으며(행복감), 심장박동은 놀이활동에 따라 다르게 나타나고(높은 변화성), 쉽게 주의가 산만해진다(다양함).

한편 탐색과 놀이는 아동의 연령에 따라 나타나는 비중이 다르다(Belsky & Most, 1981). 생후 9개월까지는 탐색행동이 놀이행동에 비해 압도적으로 많고, 생후 12개월 정도가 되면 탐색과 놀이가 거의 비슷하며, 생후 18개월 무렵이 되면 놀이행동이 압도적으로 많이 나타난다.

## 놀이와 일

| | |
|---|---|
| Brown (2009) | 놀이와 일이 서로 상반되는 것이 아니라 놀이와 일이 서로 지원하는 개념이라는 주장이다.<br>놀이를 함으로써 새로움, 몰입, 현재에 충실하기, 활기 등을 얻을 수 있고, 일을 함으로써 목적의식을 가지고 경제적 안정을 얻으며 사회에 기여하고 있다고 느끼게 된다. 놀이를 통해 얻을 수 있는 것과 일을 통해 얻을 수 있는 것이 다르다. 이 둘은 상호보완적이어서 놀이만 하거나 일만 한다면 균형 있는 삶을 살아갈 수 없다.<br>일과 놀이는 모두 창의성이 관여한다는 공통점이 있다. 일을 하며 또 놀이를 하며 자신의 세계를 구축할 수 있으며, 새로운 관계, 새로운 신경회로, 새로운 사물이 만들어지기도 한다. 또한 진정한 의미의 놀이는 장기적으로 일을 통해 지속적인 기쁨과 만족을 경험하게 한다. |
| Sutton-Smith (2008) | 놀이에서 경험하게 되는 즐거움은 일상의 다른 영역에 모두 퍼지며 긍정적 영향을 준다. 따라서 놀이는 일반적으로 생각하듯 일을 하는 데 지장을 주는 것이 아니라 오히려 일을 즐겁게 할 수 있는 지원체계이다. |
| Dattner (1969) | 놀이와 일을 비교하여 놀이의 개념을 설명하였다. 놀이는 지극히 자발적으로 표출되는 행동이지만, 일은 생계를 유지하기 위해서 하는 것으로 외부에서 강조되는 것이다. 놀이는 그 자체가 목적이지만, 일은 생산과 관련이 있다. 놀이를 지배하는 규칙은 자발적으로 형성되지만, 일은 외부의 강요된 규칙에 의한다. 놀이는 현실세계를 초월할 수 있지만, 일은 현실세계에서만 이루어진다. |

## 파튼(Parten)의 사회적 놀이발달 이론

| | |
|---|---|
| 비참여 행동 | • 목적 없는 움직임 |
| 방관자적 행동 | • 다른 친구들의 놀이를 가까운 거리에서 바라본다. 특정 놀이 집단을 지켜보며 말을 건네거나 질문을 하기도 하지만, 참여하지는 않는다. |
| 혼자(단독)놀이 | • 혼자 독자적 놀이에 몰두 |
| 병행놀이 | • 다른 친구와 놀잇감을 함께 사용하거나 친구의 놀이를 흉내내어도 거의 상호작용 없이 혼자 놀이한다. |
| 연합놀이 | • 자연스럽게 혹은 우발적으로 함께 놀이한다. |
| 협동놀이 | • 연합놀이와 가장 큰 차이는 사전계획이나 서로 간의 협동이 있으며, 역할을 분담하고, 놀이를 주도하는 리더가 있다는 점이다. |

## 에릭슨(Erikson)의 심리사회적 발달단계

건강하게 발전하는 사람이 출생 시부터 성인기까지 통과해야 하는 8단계를 식별하는 정신분석이론

| 성격특성<br>(과업 vs 위기) | 연령 | 관계 | 질 문 |
|---|---|---|---|
| 신뢰 vs 불신<br>(trust vs mistrust) | 영아, 젖먹이<br>(0~1세) | 엄마 | 믿을 수 있는가? |
| 자율성 vs 수치심과 의심<br>(autonomy vs shame & doubt) | 걸음마단계의 아기<br>(2~3세) | 부모 | 그것이 내게 좋은 것인가? |
| 주도성 vs 죄의식<br>(initiative vs guilt) | 미취학 아동<br>(3~6세) | 가족 | 내가 하거나, 움직이거나, 활동하기 좋은 것인가? |
| 근면성 vs 열등감<br>(industry vs inferiority) | 초등학생 | 학교, 이웃 | 나는 사람과 사물의 관계에서 무엇을 창조할 수 있는가? |
| 정체성 vs 혼돈<br>(identity vs role confusion) | 십대(13~19세) | 또래,<br>역할모델 | 나는 누구인가? 나는 무엇이 될 수 있을까? |
| 친밀감 vs 고립감<br>(intimacy vs isolation) | 미성숙 어른 | 연인 사이 | 나는 사랑할 수 있을까? |
| 생산성 vs 침체성<br>(generativity vs stagnation) | 장년 | 가정, 동료 | 내 삶은 스스로 인정할 수 있는가? |
| 자아통합 vs 절망<br>(ego integrity vs despair) | 노년 | 사람 | 내 스스로 나의 삶에 만족했었는가? |

# 필수 및 심화 문제

**필수문제**

**01 영아의 반사에 관한 설명으로 적절하지 않은 것은?**

① 비대칭목경직반사(Asymmetric Tonic Neck Reflex) 검사로 눈 · 손의 협응과 좌 · 우측 인식의 발달 수준을 추측할 수 있다.
② 신경적 장애 진단을 위한 반사의 출현과 소멸 간의 관계 검사는 전문가의 도움이 필요하다.
③ 걷기반사(Stepping Reflex) 검사로 불수의적 운동행동의 발달을 추측할 수 있다.
④ 모로반사(Moro Reflex) 검사로 신경적인 변이나 손상을 추측할 수 있다.

- 다음은 영아의 반사행동인 원시반사, 자세반사, 이동반사 중 영아의 생존 또는 생명보호와 관계가 있는 원시반사의 일부이다.
- ③ **걷기반사** : 생후 몇 주~5개월. 바로 세운 상태에서 발바닥이 표면에 닿으면 걷기 동작과 유사한 반응을 한다. 걷기에 영향을 준다. 수의적 운동행동의 발달을 추측할 수 있다.
- ① **비대칭목경직반사** : 출생 후 4~6개월. 누워 있는 상태에서 머리를 한쪽 방향으로 돌리면 같은 방향의 팔과 다리를 펴고, 반대편 팔과 다리를 굽힌다. 6개월 후 지속적으로 나타나면 척주가 휘는 등 기형적으로 발달할 위험이 있다. 눈과 손의 협응을 가능케 한다.
- ② 영아의 반사행동에 관련된 검사나 평가의 전문가가 해야 한다.
- ④ **모로반사** : 생후 4~6개월 까지 지속. 큰 소리나 갑작스런 위치 변화가 생기면 팔을 벌려서 끌어안을 것 같은 동작을 취한다. 출생 시 모로반사 행동이 없으면 중추신경계통의 장애를 추측하고, 소멸 시기 후에도 남아 있으면 감각운동 장애를 추측할 수 있다.
- 김은정 외(2020). 유아체육론. 대경북스. pp.48~49 참조.

**필수문제**

**02 유아의 발달과정에 대한 설명으로 옳지 않은 것은?**

① 신체 중심에서 말초 부위로 발달
② 대근육에서 소근육으로 발달
③ 머리에서 발가락으로 발달
④ 사지에서 몸통 근육으로 발달

- 유아의 신체운동의 발달
  - · 머리 → 꼬리
  - · 중심 → 말초
  - · 전체 → 부분

정답 01 : ③, 02 : ④

**심화문제**

## 03 신생아기 신체발달의 특징을 잘못 설명한 것은?

① 머리의 길이가 신체길이의 약 ¼을 차지한다.
② 머리에서 꼬리 쪽으로(두→미), 몸통에서 팔다리 쪽으로(근→원), 속에서 겉 쪽으로(심→표) 신체가 발달한다.
③ 하루의 약 2/3 동안 잠을 잔다.
④ 뼈의 개수가 증가하지만, 남아와 여아 사이에 뼈 성숙도에는 차이가 없다.

■ 여아가 남아보다 뼈의 성숙도가 빠르다.

## 04 유아기의 수면에 대한 설명이다. 틀린 것은?

① 하루에 6시간 이상의 수면을 해야 성장에 장애가 생기지 않는다.
② 숙면이 방해받으면 성장호르몬이 적게 분비된다.
③ 수면의 깊이에 따라 1단계에서 4단계(REM수면)로 수면을 분류한다.
④ 1단계에서 4단계까지가 하나의 수면주기를 이루고, 1주기가 약 90분이다.
⑤ '몇 시간을 자느냐?'가 중요한 것이지 '몇 시에서 몇 시 사이에 자느냐?'는 중요하지 않다.

■ 유아기의 건강한 생활을 위해서는 생체리듬에 따라(밤 10시~아침 6시 사이) 수면을 취하는 것이 좋다.

## 05 유아기 신체발달의 방향성에 관한 설명으로 옳은 것은?

① 머리부터 발달한다.
② 말초부위부터 발달한다.
③ 소근육과 대근육은 동시에 발달한다.
④ 일정한 순서 없이 발달한다.

■ 유아의 신체는 중심부위부터, 대근육부터 일정한 순서에 따라서 발달한다.

**필수문제**

## 06 영아기 신체발달의 특징을 잘못 설명한 것은?

① 체중과 신체의 길이가 발달하지만 그 속도가 느리다.
② 뇌신경이 급속하게 발달한다.
③ 대 근육에서 소 근육으로, 전체에서 특수 부분으로 발달한다.
④ 반사동작이 움직임의 주를 이룬다.

■ 영아기는 일생 중 체중과 키의 성장 속도가 가장 빠른 시기이다.

**심화문제**

## 07 유아의 성장 · 발달에 영향을 가장 적게 미치는 것은?

① 영양섭취　　② 성격　　③ 질병　　④ 운동

정답 03 : ④, 04 : ⑤, 05 : ①, 06 : ①, 07 : ②

## 08 아동청소년기 신체적 발달의 특징이 아닌 것은?

■ 아이가 자라면 저절로 힘도 세진다.

① 안정 시 분당 호흡수는 출생 후 점차 줄어든다.
② 아동기의 근력은 성장에 따라 발달하지 않는다.
③ 남성의 유연성은 사춘기 전후에 여성보다 빠르게 감소한다.
④ 안정 시 분당 심박수는 평균적으로 신생아가 4~5세 아동들보다 높다.

## 09 영아기의 설명으로 옳지 않은 것은?

■ 영아의 신체 부위별 크기는 똑같은 비율로 증가하지 않는다.

① 영아기는 생후 4주~2세까지를 말함
② 신체 길이가 빠르게 성장하고 피부밑(피하)조직이 크게 증가함
③ 생후 약 12개월이 되면 걸음마가 시작될 정도로 발달
④ 신체 부위별 크기 증가는 똑같은 비율로 이루어짐

**필수문제**

## 10 보기에서 영유아의 신체 및 운동발달 특징 중 옳은 것으로만 묶인 것은?

■ ㉢ 영유아의 안정시 분당심박수는 100~200회/분에서 성인이 되면 70~80회/분이 된다.
■ ㉣ 영유아의 신체 각 부위는 발육에 따른 부위별 특징이 있어서 일률적으로 자라지 않는다.

보기
㉠ 머리에서 다리 방향으로 발달한다.
㉡ 반사 및 반응 행동은 운동발달에 필수적인 단계이다.
㉢ 근육량의 증가로 안정 시 분당심박수는 점차 증가한다.
㉣ 연령증가에 따라 상체와 하체의 비율은 변화하지 않는다.

① ㉠, ㉡  ② ㉠, ㉢  ③ ㉡, ㉢  ④ ㉢, ㉣

## 11 영·유아기의 발달에 대한 설명으로 적절하지 않은 것은?

■ 영 · 유아기의 신체 발달은 중심부가 먼저 발달한 다음 말초부위가 발달한다. 중추신경이 먼저 발달한 다음 말초신경이 발달한다.

① 말초신경이 먼저 발달한 다음 중추신경이 발달한다.
② 특정 능력이나 행동의 발달에 최적인 시기가 존재한다.
③ 발달은 일정한 순서로 이루어지지만, 발달속도에는 개인차가 있다.
④ 소근육 운동의 발달은 눈과 손이 협응하여 손기술을 정확하게 구사하는 능력으로, 중추신경계통의 성숙을 의미한다.

정답 08 : ②, 09 : ④, 10 : ①, 11 : ①

**심화문제**

## 12 유아의 성장 · 발달에 영향을 주는 요인과 그 설명이다. 잘못된 것은?

① 신장과 체중은 느리지만 꾸준하게 증가하는 것이 지각정보와 운동정보의 협응을 방해한다.

② 영양부족이나 영양과잉이 성장패턴에 영향을 미칠 수 있고, 심각하게 부족하거나 과잉한 상태가 오래 지속되면 성장패턴에 항구적인 영향을 미칠 수도 있다.

③ 신체운동이 성장과정에 긍정적인 영향을 미친다. 그리고 훈련량이 지나치게 과도하지 않는 한 신체활동이 성장발달에 해롭다는 증거는 없다.

④ 질병과 기후도 성장 · 발달에 영향을 미친다.

■ 신장과 체중은 느리지만 꾸준하게 증가하기 때문에 지각정보와 운동정보를 협응시키는 연습을 할 시간이 생긴다.

## 13 유아의 신체적 발달의 설명 중 틀린 것은?

① 유아기가 청년기보다 성장속도가 빠르다.

② 9~14세 여아가 남아보다 성장속도가 빠르다.

③ 제1 충실기는 2~4세이다.

④ 제1 신장기는 8~14세이다.

■ 키가 빠르게 자라는 시기인 0~2세를 **신장기**라 하고, 체중이 늘어나는 시기인 2~4세를 **충실기**라고 한다.

**필수문제**

## 14 비대칭목경직반사(Asymmetric Tonic Neck Reflexes : ATNR)에 관한 설명으로 옳지 않은 것은?

① 생후 6개월에 나타난다.

② 원시반사의 한 유형이다.

③ 눈과 손의 협응력 발달에 중요하다.

④ 머리를 오른쪽으로 돌리면 오른쪽 팔과 다리가 펴진다.

■ **비대칭목반사**
· 원시반사의 일종
· 누운 상태에서 머리를 돌리는 쪽으로 팔과 다리를 편다.
· 눈과 손의 협응동작이 가능해진다.
· 출생 전~출생 후 6개월

**심화문제**

## 15 영아기 반사의 기능이 아닌 것은?

① 생존을 돕는다.

② 운동 행동을 진단한다.

③ 미래의 움직임을 예측한다.

④ 미래에 발현하는 불수의적인 움직임을 자의적으로 연습하게 한다.

■ **신생아(영아기) 반사와 행동의 역할**
· 아기의 생존을 돕는 역할
· 미래의 움직임을 예측할 수 있게 하는 역할
· 아기의 운동행동을 진단하는 역할

정답 12 : ①, 13 : ④, 14 : ①, 15 : ④

필수문제

**16 보기에서 설명하는 반사의 종류는?**

보기
» 신생아에게 나타날 수 있는 자세반사로써 중력반사라고도 한다.
» 자세 유지를 위해 나타나며, 생후 10개월 이후에도 나타난다.
» 아기를 뒤에서 안아 상체를 아래로 내리면 손을 앞으로 뻗고 손바닥을 펴 자신을 보호하려 한다.
» 추락에 대한 보호반응이다.

① 모로반사(Moro reflex) ② 당김반사(pull-up reaction)
③ 낙하산반사(parachute reaction) ④ 바빈스키반사(Babinski reflex)

■ **낙하산반사** : 아기를 들어올려 몸을 앞으로 기울이면 자신을 보호하기 위하여 팔·다리를 펴는 반사
■ **모로반사** : 놀라기 반사
■ **바빈스키반사** : 간지럼반사
■ **당김반사** : 끌어당기는 반사

심화문제

**17 보기에서 설명하는 신생아의 원시반사는?**

보기
» 아기 머리의 갑작스런 위치변화나 강한 소리와 빛에 반응하여 무엇을 껴안으려고 한다.
» 출생 시 나타나지 않으면 중추신경계의 문제가 있을 수 있다.

① 빨기반사(sucking reflex) ② 모로반사(Moro reflex)
③ 바빈스키반사(Babinski reflex) ④ 손바닥파악반사(palmar grasp reflex)

■ 팔을 벌려서 무엇인가를 껴안으려고 하는 것이 모로반사이다. 발바닥을 자극하면 발가락을 쫙 펴는 것이 바빈스키반사이다.

필수문제

**18 영아기 원시반사(primitive reflexes)에 대한 설명 중 옳은 것은?**

① 반사는 운동발달의 기초가 된다.
② 영아의 중추신경계 장애를 진단할 수 없다.
③ 반사는 영아의 생존과는 무관하다.
④ 대뇌피질에서 통제되는 수의적 움직임이다.

■ 수의적 움직임이 아닌 것을 반사운동이라고 하는데, 운동발달의 기초가 된다.

심화문제

**19 유아기 건강체력 발달에 대한 특징으로 적절하지 않은 것은?**

① 최대 심박수는 성인기에 비해 높다.
② 유아기 1회박출량은 성인기에 비해 높다.
③ 유아기 안정시 호흡수는 성인기에 비해 높다.
④ 성장함에 따라 근력이 증가하고 근섬유도 굵어진다.

■ 유아기 1회박출량은 성인보다 낮다.

정답 16 : ③, 17 : ②, 18 : ①, 19 : ②

## 20 보기에서 설명하는 것은?

| 보기 |
| --- |
| ① 출생 후에 나타나는 기본적인 움직임 중의 하나이다.<br>② 보통 자극과 반응 사이에 짧은 잠복기가 있다.<br>③ 학습되는 것이 아니고 저절로 하는 것이다.<br>④ 불수의적인 움직임이다. |

① 지각발달 ② 안정성 움직임
③ 이동성 움직임 ④ 반사동작

■ 보기에서 불수의적인 동작은 반사동작밖에 없다.

## 21 다음 중 반사운동의 역할이라고 하기 어려운 것은?

① 기본적인 생명을 유지할 수 있도록 돕는 역할을 한다.
② 미래의 수의적인 움직임을 연습할 수 있는 기회를 제공한다.
③ 반사운동의 출현과 소멸은 운동발달을 예견할 수 있게 하는 중요한 지표이다.
④ 반사운동은 불수의 운동일 뿐만 아니라 잠시 나타났다가 곧 사라지므로 아무런 의미도 없다.

■ 반사운동은 특정 자극에 대한 무의식적 자동적 반응이며, 연령이 증가하면 의식적 운동으로 대치되거나 사라진다.

## 22 유아의 신체발달 특성을 잘못 설명한 것은?

① 유아기에 신장, 체중, 가슴둘레 등이 현저하게 발달한다.
② 9~14세에는 여아가 남아보다 성장속도가 빠르다.
③ 젖 먹는 기간에 급속하게 발달한다.
④ 유아기에는 근력운동을 충분히 할 수 있어서 근력이 급속히 향상된다.

■ 유아기에는 많이 통통해져도 근력이 강해지는 정도는 미미하다.

**필수문제**

## 23 유아기 발달에 관한 이론의 설명으로 적절하지 않은 것은?

① 사회적놀이이론 (M. Parten) : 파튼은 사회적 놀이를 사회적 참여도에 따라 여섯 가지 형태로 분류하였다.
② 성숙주의이론(A, Gesell) : 인간의 발달은 유전적 요인에 기인한다고 주장하였다.
③ 인지발달이론(J. Piaget) : 인간의 본성은 태어날 때부터 환경에 따른 훈련에 의해 만들어진다고 주장하였다.
④ 도덕성발달이론(L, Kohlberg) : 인간의 존엄성과 양심에 따라 자율적이고 독립적 판단이 가능하다고 주장하였다.

■ **인지발달이론** : 인간의 지적 능력은 타고난 것이지만, 신체적 성숙과 환경적 경험에 의해 정신적 과정이 점진적으로 재조직된다는 이론이 인지발달이론이다.

정답 20 : ④, 21 : ④, 22 : ④, 23 : ③

**심화문제**

## 24 유아의 인지적 발달과 거리가 먼 것은?

■ 유아의 운동능력은 지능의 발달과 상관이 깊다.

① 주의집중 시간이 짧다.
② 관심과 호기심이 많다.
③ 지능과 운동능력은 상관이 없다.
④ 창의적인 생활이 두드러진다.

## 25 유아의 정의적 발달 특성과 거리가 먼 것은?

■ 창의성은 인지적 발달이고, 나머지 3개는 정의적 발달이다.

① 자기중심성
② 구체성
③ 피 암시성
④ 창의성

## 26 유아기 인지발달의 특징을 설명한 것이다. 옳지 못한 것은?

■ 유아기는 창의적인 면이 가장 두드러지게 나타나는 시기이다.

① 주의집중 시간이 짧고, 놀이를 통해서 모든 것을 배운다.
② 모든 사물과 신체에 대한 관심과 호기심이 많아서 질문을 계속한다.
③ 창의적인 면이 없고 무엇이든 모방해서 따라 한다.
④ 운동능력과 지능의 상관이 높다(잘 노는 아이가 지능이 높다).

## 27 유아기의 발달특성이 아닌 것은?

■ 만 2세 이후에는 성장속도가 일시적으로 감소된다.

① 만 2세 이후에는 성장속도가 느려진다.
② 만 2세 이후에는 성장속도가 급격하게 빨라진다.
③ 신체기능들이 잘 조절되고 어느 정도는 항상성이 이루어진다.
④ 영아기보다 지방조직이 감소된다.

정답 24 : ③, 25 : ④, 26 : ③, 27 : ②

필수문제

## 28 보기에 해당하는 발달이론이 바르게 나열된 것은?

보기

| | 발달이론 |
|---|---|
| ㉠ | » 인간의 발달은 환경에 따른 훈련으로 이루어진다.<br>» 학습에 의한 긍정적 행동의 촉진을 강조한다. |
| ㉡ | » 유아의 다양한 경험을 토대로 동화, 조절, 평형화의 과정을 통해 도식이 발달된다.<br>» 조직화와 적응을 강조한다. |
| ㉢ | » 타인을 관찰하는 것만으로 새로운 행동을 획득할 수 있다.<br>» 모방학습의 중요성을 강조한다. |

| | ㉠ | ㉡ | ㉢ |
|---|---|---|---|
| ① | 스키너(B. Skinner)의 행동주의 이론 | 게셀(A. Gesell)의 성숙주의 이론 | 에릭슨(E. Erickson)의 심리사회발달 이론 |
| ② | 반두라(A. Bandura)의 사회학습 이론 | 피아제(J. Piaget)의 인지발달 이론 | 비고스키(L. Vygotsky)의 상호작용 이론 |
| ③ | 에릭슨(E. Erickson)의 심리사회발달 이론 | 게셀(A. Gesell)의 성숙주의 이론 | 반두라(A. Bandura)의 사회학습 이론 |
| ④ | 스키너(B. Skinner)의 행동주의 이론 | 피아제(J. Piaget)의 인지발달 이론 | 반두라(A. Bandura)의 사회학습 이론 |

■㉠ 행동주의 이론 : 문제 42(p.29) 참조
■㉡ 인지발달 이론 : 문제 29 해설 참조
■㉢ **사회학습이론** : 사람의 행동은 타인의 행동이나 어떤 상황을 모방함으로써 형성된다는 이론.

심화문제

## 29 보기에서 제시하는 발달 이론으로 가장 적절한 것은?

보기

» 아동은 주변 친구들의 운동기술을 관찰하여 자신의 운동기술을 개발한다.
» TV 속 정현의 포핸드스트로크 모습을 보고 흉내내며 치기(striking) 기술을 향상시킨다.

① 비고츠키(L. Vygotsky)의 상호작용이론
② 피아제(J. Piaget)의 인지발달이론
③ 에릭슨(E. Erickson)의 심리사회발달이론
④ 반두라(A. Bandura)의 사회학습이론

■**상호작용이론** : 인지발달에서 사회적 상호작용의 중요성을 강조한 이론. 인간의 심리적 기능발달에 필수적 · 공통적으로 형성되는 사회적 학습이 유아의 발달보다 선행된다.
■**심리사회발달이론** : 인지발달은 환경과의 상호작용에 의해 이루어지는 적응과정이라는 이론.
■**인지발달이론** : 모든 유기체가 성공적으로 발달하면 태어난 목적을 완수할 수 있다는 이론.

정답 28 : ④, 29 : ④

## 30 다음은 Bandura의 사회학습 이론에 대한 설명이다. 틀린 것은?

① 유아는 모방과 관찰학습에 의해서 새로운 행동을 학습한다.
② 모방학습은 단순히 타인의 행동을 모방하는 것이 아니라, 주변의 인물 특히 부모의 언어, 성역할, 사회적 행동을 모방하는 것이고,
③ 관찰학습은 모델(부모, 지도자, 또래 등) 의 행동을 관찰하여 모방함으로써 새로운 행동을 학습하는 것이다.
④ 그러므로 관찰학습에는 반드시 직접적 강화가 있어야 한다.

■ 강화가 없어도 관찰학습이 이루어진다.

## 31 유아기 운동발달 이론 중 보기가 설명하는 이론은?

보기
» 환경에 능동적으로 대응하며 운동기능을 발달시킨다.
» 지도사, 부모, 또래집단은 운동발달에 영향을 미친다.
» 집단 활동의 구성은 운동발달의 효과적인 교수법이다.

① 상호작용이론 ② 인지발달이론
③ 정신분석이론 ④ 정보처리이론

■ 아이는 환경, 부모, 또래와 상호작용을 하며 자란다.

**필수문제**

## 32 보기에 들어갈 인지발달 이론의 요소가 바르게 나열된 것은?

보기
» ( ㉠ ):새로운 경험과 자극이 유입되었을 때, 기존에 가지고 있는 도식을 사용하여 해석한다.
» ( ㉡ ): 기존의 도식으로는 새로운 사물이나 사건을 이해할 수 없을 때, 새로운 사물이나 대상에 맞도록 기존의 도식을 변경한다.
» ( ㉢ ): 현재의 조직들이 서로 상호작용하며 효율적인 체계로 결합하여 더 복잡한 수준의 지적 구조를 이루는 과정이다.

| | ㉠ | ㉡ | ㉢ |
|---|---|---|---|
| ① | 조절(accommodation) | 동화(assimilation) | 적응(adaptation) |
| ② | 적응(adaptation) | 조절(accommodation) | 조직화(organization) |
| ③ | 동화(assimilation) | 조절(accommodation) | 조직화(organization) |
| ④ | 동화(assimilation) | 조직화(organization) | 적응(adaptation) |

■ ㉠ **동화** : 예를 들면 자전거라는 도식을 가지고 있는 아이가 오토바이를 보았을 때 자기가 가지고 있던 도식(자전거)과 비교해서 같으므로 그것을 '자전거'라고 하는 것.
■ ㉡ **조절** : 엄마가 '오토바이'라고 가르쳐주면 아이는 그 차이점을 찾아 새로운 도식을 만드는 것.
■ ㉢ **조직화** : 오토바이와 자전거를 구분할 수 있게 되면 '탈 것'이라는 범주 안에 '오토바이, 자전거, 차, 배, 비행기' 등을 포함시킨 다음 그 범주 안에 있는 것들을 구분할 수 있게 만드는 것.
■ 인지발달 이론(p. 11) 참조.

정답 30 : ④, 31 : ①, 32 : ③

**필수문제**

**33 피아제(J. Piaget)의 인지발달 단계 중 보기에서 설명하는 것은?**

보기
» 지각운동시기로 사물과 사건의 관계를 인식하는 사고능력의 큰 진보가 이루어지지만 자기중심성이 강하다.
» 게임을 할 때 일반적인 규칙이나 전략을 사용할 수 있지만 완전하지는 못하다.

① 감각운동기 ② 전조작기
③ 구체적 조작기 ④ 형식적 조작기

■ 전조작기 : 자신이 내재적으로 가지고 있는 표상을 언어나 그림으로 표현할 수 있고, 모방이나 기억이 가능하다. 상징적 사고, 자기중심적 사고, 직관적 사고, 물활론적 사고, 인공론적 사고 등의 특징이 있다.

**심화문제**

**34 피아제(J. Piaget)의 인지발달 단계에 포함되지 않는 것은?**

① 감각운동기 ② 전조작기 ③ 구체적 조작기 ④ 직관적 조작기

■ 직관적 조작기가 아니라 형식적 조작기이다.

**35 우리가 사는 세상을 이해하고 타인과 상호작용하는 학습과정은?**

① 정서발달 ② 사회화 ③ 도덕성 발달 ④ 인간화

■ 52번 문제(p.31) 참조

**36 피아제(Piaget)의 인지발달 이론에 대한 설명 중 옳지 않은 것은?**

① 감각운동기, 전조작기, 구체적 조작기, 형식적 조작기로 구분됨
② 전조작기에는 행동이 아닌 생각으로 행위를 수행할 수 있으며, 자기중심적인 특징이 있음
③ 모든 사람이 형식적 조작기에 이를 수 있음
④ 구체적 조작기에는 동일성, 보상성, 가역성의 특징을 나타냄

■ 지적장애아는 장애정도에 따라서 전조작기, 또는 구체적 조작기 이상의 단계에 도달하지 못한다.

■ **피아제의 인지발달 단계**(p. 12 참조)
- **감각운동기**(0~2세) : 감각경험과 움직임을 조화시켜 자신이 처한 환경에 대한 의미 구성
- **전조작기**(2~7세) : 자신의 세계를 언어와 이미지에 연결하는 상징적 사고 능력 확대
- **구체적 조작기**(7~11세) : 구체적 사건을 논리적으로 생각하여 자신의 주위에 있는 대상을 다양한 상황으로 분류
- **형식적 조작기**(11~15세) : 논리적 · 추상적 · 관념적 방식으로 생각

**필수문제**

**37 보기에서 설명하는 유아기 발달이론은?**

보기
다양한 속도로 날아오는 공을 때리는(striking) 경험은 도식(schema)의 변화를 유도하여 때리기 동작을 점차 발달시킨다.

① 피아제(J. Piaget)의 인지발달이론
② 프로이드(S. Freud)의 정신분석이론
③ 에릭슨(E. Erickson)의 심리사회발달이론
④ 하비거스트(R. J. Havighurst)의 환경이론

■ 인간은 타고난 발달단계와 학습의 상호작용을 통해 환경에 대해 지각하고, 생각하며, 이해하는 인지적 발달이 이루어진다는 이론. 참고로 스키마라는 말이 나오면 인지발달과 관련이 있다.

정답 33 : ②, 34 : ④, 35 : ②, 36 : ③, 37 : ①

■ 피아제가 인지발달 이론을 주장하기 위하여 설정한 도식과 적응의 개념은 다음과 같다. 도식→적응(순응)→동화→조절→평형→조직화

필수문제

**38** **피아제(J. Piaget)의 도식(schema) 형성과정이 아닌 것은?**

① 동화과정(assimilation) ② 조절과정(accommodation)
③ 평형과정(equilibrium) ④ 가역과정(reversibility)

심화문제

**39** **피아제(J. Piaget)의 인지발달이론 중 차기동작(kicking)의 도식(schema)과 그 도식의 형성과정에 대한 설명으로 적절하지 않은 것은?**

① 도식은 기존의 차기동작 경험을 통해 형성된 인지적 구조이다.
② 동화(assimilation)는 다른 속도로 굴러오는 공에 기존의 차기기술로 반응하는 것이다.
③ 조절(accommodation)은 다른 속도로 굴러오는 공에 새로운 차기기술로 반응하는 것이다.
④ 평형(equilibrium)은 동화와 조절의 균형을 통해 도식이 변화하는 것이다.

■ 동화와 조절을 반복하면서 심리적 구조와 일관성이 생기는 것을 '평형화'라고 한다.

**40** **다음은 Piaget의 인지주의 이론에 대한 설명이다. 틀린 것은?**

① 유아가 환경과 끊임없이 상호작용을 한 결과로 얻어진 것이 지적 성장이다.
② 즉 유아 자신이 포괄적인 인지구조를 능동적으로 형성해 나간다고 보는 것이 인지주의 발달이론이다.
③ 인지주의 발달이론에서는 인지 발달단계를 감각운동기, 전조작기, 구체적 조작기, 형식적 조작기의 4단계로 나누고, 인지 발달단계에 따라서 유아의 행동발달이 이루어진다고 주장한다.
④ 유아기는 감각운동기에 속한다.

■ 감각운동기는 0~2세, 전조작기는 2~7세, 구체적 조작기는 7~11세, 형식적 조작기는 12세 이후이다. 그리고 유아기는 1~6세이므로 유아기는 전조작기에 해당된다.

필수문제

**41** **보기의 ㉠, ㉡에 들어갈 용어가 바르게 나열된 것은?**

보기
» 특정 능력이나 행동의 발달에 최적인 시기를 ( ㉠ )라고 한다.
» 각 시기에 따른 유아의 발달은 특정 시기에 도달해야 할 ( ㉡ )을 갖기 때문에 시기를 놓쳐버리면 올바른 성장이 저해될 수 있다.

| | ㉠ | ㉡ | | ㉠ | ㉡ |
|---|---|---|---|---|---|
| ① | 민감기 | 통합성 | ② | 민감기 | 발달과업 |
| ③ | 감각운동기 | 발달과업 | ④ | 전조작기 | 병변현상 |

■ **민감기** : 특정능력이나 행동의 발달에 최적인 시기. 발달단계에 따라 많은 영향을 받음.
■ **발달과업** : 시기별 유아의 발달이 특정시기에 도달해야 할 과제로, 그 시기를 놓쳐버리면 올바른 성장이 저해될 수 있다.
■ **감각운동기와 전조작기** : 피아제의 인지발달 이론(p.11) 참조.

정답 38 : ④, 39 : ④, 40 : ④, 41 : ②

**필수문제**

## 42 보기에서 설명하는 발달 이론은?

보기
» 환경을 변화시켜 바람직한 행동을 형성한다.
» 피드백을 통해 유아의 바람직한 행동을 촉진한다.

① 게셀(A. Gesell)의 성숙주의 이론
② 피아제(J. Piaget)의 인지발달 이론
③ 스키너(B. Skinner)의 행동주의 이론
④ 프로이드(S. Freud)의 정신분석 이론

■ 스키너의 행동주의 이론
· 스키너는 Pavlov(고전적 조건이론)와 Thorndike(자극-반응이론)를 잇는 행동주의 이론인 조건적 조직화 이론을 주장하였다.
· 외부환경 요인을 잘 활용하여 유아를 훈련 · 학습시키는 것이 발달에 중요하다.
· 바람직한 행동은 장려하고, 반대의 행동은 소거시켜야 유아의 행동발달을 성공적으로 이끌 수 있다.
· 이 이론은 유아발달 이론에서는 인간을 동물적으로 본다는 점 때문에 비판을 받고 있다.

**필수문제**

## 43 유아의 지각운동발달 요소와 설명이 적절하지 않은 것은?

① 공간지각 – 높이가 다른 뜀틀 넘기를 한다.
② 시간지각 – 음악에 맞추어 율동 동작을 한다
③ 시간지각 – 다양한 속도로 날아오는 야구공을 받는다.
④ 공간지각 – 신체 각 부분의 명칭과 근육의 긴장과 이완을 이해한다.

■ 공간지각 : 방향감각과 공간관계를 감각을 통해 인지하는 것

**심화문제**

## 44 지각운동발달 중 보기가 설명하는 것은?

보기
» 크기가 다른 훌라후프 터널을 통과하는 방법 익히기
» 과제와 상황에 따라 움직임의 범위를 조절하는 방법 익히기

① 공간지각운동　　② 방향지각운동
③ 신체지각운동　　④ 시간지각운동

■ 크기나 범위는 공간지각이다.

## 45 지각운동의 요소가 아닌 것은?

① 속도지각　　② 공간지각
③ 신체지각　　④ 시간지각

■ 지각운동의 요소에는 공간지각, 신체지각, 시간지각, 방향지각, 관계지각, 움직임의 질, 무게지각 등이 포함된다. 속도는 이동성 운동의 요소이다.

정답 42 : ③, 43 : ④, 44 : ①, 45 : ①

**필수문제**

**46 후기 아동기 시기의 정서 발달 특징에 대한 설명으로 옳지 않은 것은?**

① 정서적 수준은 이미 성숙한 수준으로 가정에서나 학교에서 일관된 행동을 보임
② 자아중심적이며 소집단활동에서는 잘 놀지만, 장시간 이어지는 대집단 놀이에서는 서투른 편임
③ 때때로 공격적이고 자아 비판적이며 과잉반응으로 행동함
④ 남아와 여아의 관심사가 비슷하지만 이후부터는 점차 달라지기 시작함

■ 초등학교 고학년이 후기 아동기이다.
① 모험심이 강해서 친구나 또래집단의 위험하거나 은밀한 행동에 참여하려는 욕구가 크다. ②, ③, ④는 후기 아동기의 정서적 특징이다.

**심화문제**

**47 유아기 정서적 발달의 특징 중 틀린 것은?**

① 자기중심적으로 사고하는 경향이 짙다.
② 신체적 욕구와 정신적 욕구의 충족을 중요시한다.
③ 칭찬을 하면 자신감이 생기고 의욕적인 태도를 보인다.
④ 부모나 교사가 좋아하는 것에 관심이 없다.
⑤ 수줍어한다.

■ 유아기에는 부모나 교사가 좋아하는 것을 민감하게 실행하여 관심을 끌려고 한다.

**48 유아기의 정서로만 묶인 것은?**

① 기쁨－분노－우정
② 분노－애정－기쁨
③ 질투－애정－근면
④ 공포－질투－냉담

■ 유아기의 주 정서는 호기심, 분노, 기쁨, 공포, 애정 등이다.

**필수문제**

**49 유아의 신체적 자기개념(self-concept)에 관한 설명으로 적절한 것은?**

① 신체적 자기개념은 단일 개념이다.
② 신체적 자기개념은 자기효능감과는 관련이 없다.
③ 스포츠 참여를 통한 성공경험과 스포츠유능감 간의 관련성은 없다.
④ 스포츠 참여는 신체적 능력에 대한 개념을 형성하는 데 도움을 준다.

■ ① 유아의 스포츠참여는 신체적 능력에 관한 자기개념의 형성에 도움이 된다.
■ ② 신체적 자기개념은 복수의 개념이며, 자기효능감과 관련되어 있다.
■ ③ 스포츠참여를 통한 성공경험과 스포츠유능감은 서로 관련되어 있다.

정답 46 : ①, 47 : ④, 48 : ②, 49 : ④

**필수문제**

**50 유아기의 사회적 발달 특징 중 틀린 것은?**

① 사회적 집단으로 가족, 또래, 학교집단이 형성되지만, 모두 유희적 만족을 추구하는 집단이다.
② 자율성과 주도성이 나타난다.
③ 놀이를 통해서 리더십의 향상과 경쟁, 협동심이 발달된다.
④ 언어적 설명을 좋아한다.

■ 유아는 언어로 설명하면 이해하지 못하는 경우가 많아서 실제행동으로 시범을 보여주기를 원한다.

**심화문제**

**51 다음 설명 중 유아의 사회적 발달의 특성이 아닌 것은?**

① 친구와 놀이하는 것을 좋아하기도 하지만 반대로 싸우기도 많이 함
② 자아가 발달하기 시작하는 시기로 자기의 주장을 굽히려 하지 않음
③ 타인에 대한 이해력이 부족하기 때문에 자기중심적임
④ 성역할이 매우 뚜렷하여 남녀를 구별하여 놀이함

■ 유아기에는 남녀의 성역할에 차이가 없다.

**52 유아체육 프로그램을 통해 형성되는 심리적 특성 중 보기가 설명하는 것은?**

| 보기 |
|---|
| » 팀원 간의 관계를 형성하는 역동적인 과정<br>» 팀에서 자신에게 부여된 역할과 팀의 규범에 부합하는 가치관을 내재화하는 과정 |

① 객관화 ② 자아통합 ③ 사회화 ④ 자존감

■ 사회화의 과정에 대한 설명이다.
■ 35번 문제(p.27) 참조.

**53 유아의 사회성 놀이 발달 단계 순서로 옳은 것은?**

① 단독놀이 단계 → 평행놀이 단계 → 연합놀이단계 → 협동놀이단계
② 평행놀이 단계 → 단독놀이 단계 → 연합놀이단계 → 협동놀이단계
③ 연합놀이 단계 → 평행놀이 단계 → 단독놀이단계 → 협동놀이단계
④ 단독놀이 단계 → 연합놀이 단계 → 평행놀이단계 → 협동놀이단계

■ 평행놀이 단계가 아니라 병행놀이 단계이다.
단독→병행→연합→협동

**필수문제**

**54 에릭슨(E. Erikson)의 심리사회발달 단계 중 주도성 대 죄책감에 관한 설명으로 옳지 않은 것은?**

① 자기개념 형성이 시작되는 시기이다.
② 놀이를 스스로 시도할 수 있는 시기이다.
③ 취학 전 연령기(만 3세~6세)에 해당 된다.
④ 놀이를 통한 성공경험은 주도성 형성에 도움이 된다.

■ 에릭슨의 심리사회적 발달단계 이론은 출생시부터 성인기까지 통과해야 하는 8단계를 식별하는 정신분석이론이다.
■ 주도성 대 죄의식(죄책감)은 그중 세번째인데, 미취학 아동(4~6세)에 해당된다. 자아개념 형성은 4~5세경에 시작된다.

정답 50 : ④, 51 : ④, 52 : ③, 53 : ①, 54 : ①

**심화문제**

**55 보기에 해당하는 에릭슨(E. Erikson)의 심리사회발달 단계는?**

보기
» 목표나 계획을 세워 성공하고자 노력하는 시기이다.
» 이동성이 커지면서 성인과 다를 바 없다는 사실을 자각한다.
» 아동은 의미 있는 놀잇감을 조작하면서 만족스러운 성취감을 경험한다.

① 1단계 – 신뢰감(trust) 대 불신감(mistrust)
② 2단계 – 자율성(autonomy) 대 수치심(shamme)
③ 3단계 – 주도성(initiative) 대 죄책감(guilt)
④ 4단계 – 친밀성 (intimacy) 대 고립감(isolation)

■ 에릭슨의 심리사회적 발달단계(p. 17) 참조

**필수문제**

**56 보기의 훗트(C. Hutt)가 제시한 놀이 관련 행동에 대한 설명에서 ㉠, ㉡에 들어갈 용어는?**

보기

| 구분 | ( ㉠ ) | ( ㉡ ) |
|---|---|---|
| 맥락 | 새로운 물체 | 익숙한 물체 |
| 목적 | 정보 획득 | 자극생성 |
| 행동 | 정형화됨 | 다양함 |
| 기분 | 심각함 | 행복함 |
| 심장박동 변화 | 낮은 변화성 | 높은 변화성 |

| | ㉠ | ㉡ |
|---|---|---|
| ① | 모방 | 놀이 |
| ② | 모방 | 과제 관련 행동 |
| ③ | 탐색 | 과제 관련 행동 |
| ④ | 탐색 | 놀이 |

■ **탐색** : 정보를 수집하는 기능
■ **놀이** : 정보수집과 같은 특정 결과에 관심이 없고, 놀이 과정에서 자연스럽게 연습이 이루어진다.

**필수문제**

**57 파튼(M. Parten)의 사회적 놀이발달 이론에 대한 설명으로 적절하지 않은 것은?**

① 혼자(단독) 놀이 : 다른 친구의 놀이를 지켜보며 가끔씩 구경하는 친구에게 말을 걸기도 한다.
② 병행놀이 : 주변의 친구들과 동일한 놀이를 하지만 함께 놀이를 하지는 않는다.
③ 연합놀이 : 다른 유아와 활동을 공유하며 놀이에 대해 이야기를 주고받거나 놀잇감을 빌려주기도 하지만 놀이 내용이 조직적으로 전개되지는 않는다.
④ 협동놀이 : 역할의 분담과 목적의 공유가 이루어지는 단계로서 병원 놀이 같은 것이 있다.

■ 파튼(Parten)의 사회적 놀이 발달 이론(p. 17) 참조

정답 55 : ③, 56 : ④, 57 : ①

# 03 — Chapter 유아기의 운동발달에 관한 이론

## 유아기의 운동발달

### 1 운동능력, 기초운동능력, 운동기능의 구별

☞ 운동을 잘 해나갈 수 있는 능력(활동체력 또는 행동체력)을 운동능력이라고도 한다. 그러므로 운동능력에는 근력, 순발력, 지구력과 같은 근골격계통과 호흡순환계통의 노력에 의해서 생기는 힘과 민첩성, 평형성, 교치성 등과 같이 신경계통의 노력에 의해서 생기는 조정력, 운동의 폭을 넓히는 데에 필요한 유연성 등이 포함된다. 한마디로 말해서 운동수행에 필요한 신체적인 능력의 총체를 '운동능력'이라고 한다.

☞ 달리기, 뛰기, 던지기 등과 같이 인간이 행하는 여러 가지 운동 중에서 가장 기본이 되는 운동을 할 수 있는 능력을 '기초운동능력'이라고 한다.

☞ '운동기능' 또는 '운동기술'은 운동능력을 기반으로 연습 또는 학습을 통해서 얻어진 성과를 말하므로 운동기능의 발달이 아니라 운동기능의 향상이라고 해야 한다.

그러나 어린이가 자라는 것은 운동능력의 발달, 기초운동능력의 발달, 운동기능의 향상이 뒤섞여 있기 때문에 이러한 단어들을 혼용하여 사용하고 있다.

### 2 운동발달 모형

유아의 운동발달은 머리에서 꼬리로, 신체 중심부에서 겉 부위로 발달하는 순서성도 있지만, 반사운동에서 의도적인 움직임으로 발달하는 것과 같이 운동의 형태가 단계적으로 변화하는 위계성도 있다.

유아의 운동발달을 위계성에 따라 모형화한 학자들과 이론이 몇 가지 있지만, 가장 널리 알려져 있는 것이 미국의 갈라휴(David Gallahue)가 제시한 운동발달 모형이다. 갈라휴는 유아의 운동발달을 반사운동 단계, 초보운동 단계, 기본운동 단계, 전문운동 단계로 나누었다.

#### ▶ 반사운동 단계

태어나서 약 1세까지를 반사운동단계라 하고, 접촉, 빛, 소리, 압력 등에 대하여 반사적인 움직임을 보인다. 유아가 신체 방어와 생존을 위한 본능적 반사 운동을 보이는 시기로, 모로반사, 빨기반사 및 걷기반사 등의 움직임을 보인다. 반사운동의 발달과 쇠퇴를 보고 아기의 신경계통에 이상이 있는지 여부를 짐작할 수 있다. 생후 1년이 되면 대부분의 반사운동은 사라진다.

#### ▶ 초보운동 단계

생후 1년 정도가 지나면 반사운동이 사라지고 수의적으로 움직일 수 있는 초보운동 단계로 발전한다. 생존에 필요한 수의적인 움직임이 기본형태인 초보운동에는 안정성 움직임(머리, 목, 몸통 움직이기), 조작적 움직임(뻗기, 잡기, 놓기), 이동성 움직임(뒤집기, 기기, 걷기) 등이 포함된다. 서툴지만 신체의 균형을 유지하고, 물체를 조작할 수도 있다.

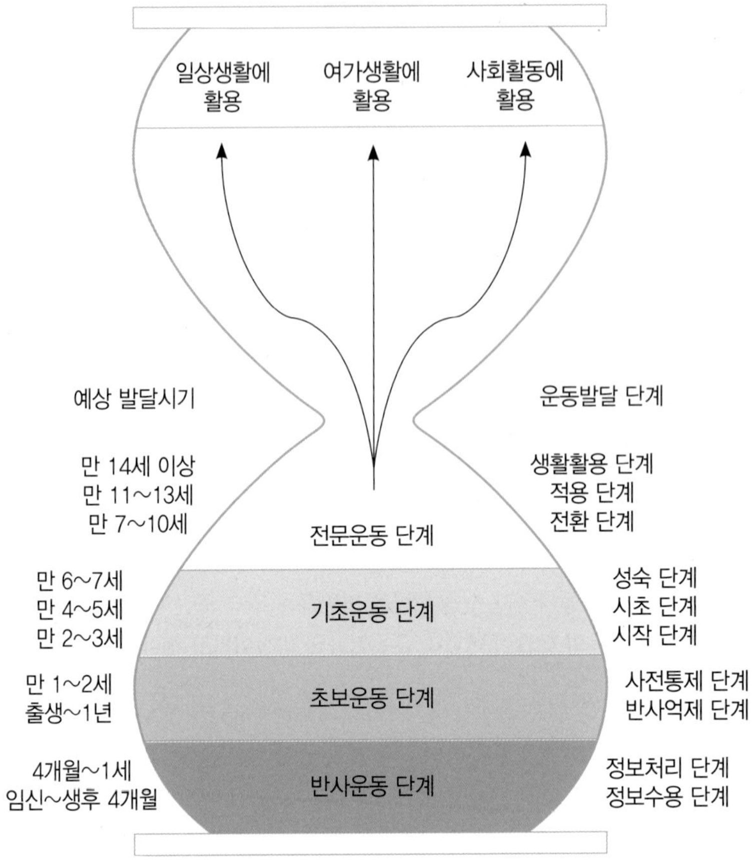


갈라휴의 운동발달 모형

자료 : Gallahue & Ozmum(2002).

▶ 기초(기본)운동 단계

두 살이 되면 좀 더 활동적인 기본운동 단계가 시작되어서 약 일곱 살까지 계속된다. 유아가 신체의 움직임을 통해서 적극적으로 탐구하는 시기라고 할 수 있다. 기초운동 단계는 시작(입문) 단계, 초보 단계, 성숙 단계로 이루어진다.

시작(입문) 단계에서는 눈과 손 또는 손과 발의 협응이 제대로 되지 않아서 신체의 사용이 일부 제한되거나 과장된 움직임 또는 매끄럽지 못한 움직임이 나타나기도 한다.

초보 단계(3~4세)에서는 기본움직임의 제어와 협응이 향상되어서 움직임이 시간적 · 공간적으로 상당히 매끄러워진다. 그러나 아직도 제한되거나 과장된 움직임의 형태가 남아 있어서 음식을 먹을 때 흘리거나 떨어뜨린다.

성숙 단계(5~6세)에서는 운동의 제어와 협응이 제대로 이루어질 뿐 아니라 역학적으로 효율적인 운동을 하는 면도 보인다. 그러나 날아오는 공을 받거나 배트로 치는 운동은 눈과 신체 동작이 고도로 협응이 되어야 하기 때문에 완전하지 못하다.

이 시기에 연습과 격려 등 운동지도를 받으면 운동발달이 효율적으로 진행되고, 그렇지 못하면 운동발달이 덜 된 상태에서 전문운동 단계로 넘어가게 된다. 그러면 성숙 단계에서 배웠어야 하는 운동기능이 미숙하기 때문에 전문 단계의 운동발달에도 부정적인 영향을 미친다.

▶ 전문화된(전문) 운동 단계

만 7세 이후에는 전문운동 단계에 접어들면서 또래와 스포츠활동을 익히고 즐길 수 있는 능력이 생긴다. 전문운동 단계는 기초운동 단계에서 배우고 익힌 운동들을 일상생활, 기본적인 스포츠기술, 레크리에이션 등에 응용해서 보다 더 세련되고 복잡한 운동기술로 발전시켜 나가는 단계라고 할 수 있다. 이 단계는 과도기 단계, 적용 단계, 평생이용 단계로 이루어진다.

과도기 단계(7~10세)에서는 기본적인 움직임 기술을 결합시키고 응용해서 스포츠나 레크리에이션에서 사용하는 전문기술을 수행하려 하고, 일상생활에도 이용하려고 한다. 대부분의 아이들이 스포츠에 관심을 갖게 되고, 새로운 기술을 배우면 응용하려고 한다. 부모나 교사가 아동의 운동기술이 향상될 수 있도록 도와주면 발달이 빠르지만 잘못 배우면 숙달장애 때문에 기본적인 운동기능 조차도 배우기 어려워질 수도 있다.

적용 단계(11~16세)에서는 인지능력이 정교해지고, 운동경험이 확대되면서 자신이 좋아하는 스포츠를 고르게 된다. 이 시기의 아이들에게 중요한 것은 스포츠활동에 참여할 수 있을 정도로 운동기능이 발달되어 있어야 하고, 게임에 대한 지식을 충분히 갖추고 있어야 하며, 운동의 정밀성, 정확성, 자세를 중시해야 한다는 것이다.

마지막으로 평생운동 단계(14세 이후)는 앞서 배운 운동기술을 자신이 선택한 운동에 응용해서 평생 동안 즐기는 것이다.

## 3 운동기술의 정의

운동기술은 운동능력을 기반으로 연습 또는 학습을 통해서 얻어진 성과를 말하므로 달리기, 뛰기, 던지기와 같은 기본적인 운동기능도 발전시키면 운동기술이 될 수 있고, 각종 스포츠에서 수행하는 스포츠 기술도 운동기술에 포함된다.

운동기술의 특징은

- ☞ 특정한 목적이 있는 수의적인 동작이다.……반사동작은 불수의적인 움직임이기 때문에 운동기술이 아니고, 길거리를 지나가다가 괜히 돌을 걷어차는 것은 특정한 목적이 없는 행동이므로 운동기술이 아니다.
- ☞ 목적 달성을 위해서 신체의 일부 특히 사지의 운동을 이용한다.……바둑이나 장기를 두는 것은 신체활동이 아주 적으므로 운동기술이 아니다.

## 4 운동기술의 분류와 발달

운동기술을 분류하는 방법에는 아래 표와 같이 여러 방법이 있다.

▶ 운동기술의 분류

| 분류 기준 : 근육의 크기 | | |
|---|---|---|
| 대근육운동기술 | 몸통이나 팔다리의 큰 근육을 동원 | 달리기, 던지기, 뛰기 |
| 소근육운동기술 | 주로 손가락을 이용 | 피아노치기, 글씨쓰기 |
| 분류 기준 : 움직임의 연속성 | | |
| 불연속적 운동기술 | 동작의 시작과 끝이 확실한 기술 | 골프 스윙 |
| 계열적 운동기술 | 불연속적 운동기술이 연속적으로 연결된 기술 | 농구의 드라이브인슛 |
| 연속적 운동기술 | 특정한 움직임이 반복되는 기술 | 수영, 달리기 |

| 분류 기준 : 환경의 안정성 | | |
|---|---|---|
| 폐쇄운동기술 | 변하지 않는 환경에서 수행하는 운동기술<br>목표물(타깃)이 고정되어 있음 | 사격, 양궁 |
| 개방운동기술 | 변하는 환경에서 수행하는 운동기술<br>목표물(공)이 움직임 | 축구, 농구 |

▶ 유아기의 기본 운동기술의 유형

| | |
|---|---|
| 이동계 | 배를 땅에 대고 기기(crawling), 네발로 기기(creeping), 기어오르기, 걷기, 오르기, 내려가기, 달리기, 멈추기, 리프(leap), 스킵, 홉, 갤롭, 뛰기, 뛰어오르거나 내리기, 기어가듯이 오르기, 뛰어넘기, 가랑이 벌려 뛰어넘기, 몸을 돌려 비키기, 빠져나가기, 미끄러지기, 헤엄치기 |
| 평형계 | 팔로 지탱하기, 앉기, 굽히기, 서기, 일어나기, 한 발로 서기, 균형 잡고 서기, 타기, 건너기, 뜨기 |
| 조작계 | 잡기, 집기, 놓기, 멀리 내던지기, 던지기, 차기, 치기, 잡기(공 튀기기), 때리기, 잡기, 받기, 노젓기 |
| 비이동계<br>(제자리에서 하는 것) | 매달리기, 밀기, 당기기 |

## 5 운동발달을 보는 관점

▶ 성숙론적 관점

미국 애리조나 주에 사는 인디언 호피족은  전통적으로 아기가 태어나면 '양육판'이라는 판자에 묶어 키운다. 이처럼 아기는 배우지 않아도 커가면서 점점 운동 발달이 명확해지고, 스스로 조절할 수 있는 능력을 갖게 된다는 관점이 성숙론적인 관점이다.

☞ 유전적으로 형성된 발달 프로그램의 순서대로 운동이 발달한다.

☞ 전 세계의 영아들은 양육 상황이 다름에도 불구하고 세계 모든 영아들의 운동기능 발달이 비슷한 순서로 진행된다.

☞ 쌍생아 연구에서 한 아기는 운동발달이 잘 되도록 환경을 조성했고, 다른 아기는 경험을 차단했음에도 불구하고 운동발달은 큰 차이를 보이지 않았다.

☞ 결과적으로 운동발달은 내적인 성숙에 의해서 진행된다.

▶ 학습론적 관점

생후 2년간을 대부분 고아원 침대에서 누워 지낸 이란의 고아들이 2세가 되어도 걷지 못하고 3~4세가 되었을 때 15%만이 혼자서 걸을 수 있었다. 이것은 운동기술의 발달에는 성숙이 필요하지만 성숙만으로는 충분하지 못하고, 학습과 경험이 중요하다는 것을 증명하는 것이다.

☞ 유아들에게 다양하고 풍부한 신체활동을 경험할 수 있도록 배려해야 한다.

☞ 그러면 유아들의 운동발달 수준을 향상시킬 수 있다.

▶ 생태학적 관점

인간의 운동행동은 단순한 성숙의 결과나 학습에 의한 반응이 아니고, 내적 · 외적 요인의 복잡한 관계 속에서 형성되는 구성물이다.

☞ 개인 · 환경 · 과제 수준 등이 복합적으로 상호작용하는 가운데에 운동발달이 이루어진다. (역동적 체계이론)

- ☞ 인간의 운동발달은 비선형적이고 불연속적인 특성을 가지고 있다.
- ☞ 인간의 행동은 지각체계와 행동체계의 상호관계에 의해서 이루어진다.(지각-행동이론)
- ☞ 운동행동의 주체인 인간이 환경 및 과제특성과 상호작용을 하면서 운동발달을 형성하여 간다.
- ☞ 움직임은 새로운 운동기술을 습득하고자 하는 영아의 의지에 의한 것이고, 호기심이 많고 능동적인 영아가 목표를 달성하기 위해서 이미 가지고 있는 운동기술을 재조직함으로써 운동기술이 발달하게 된다.

### 6 대근육운동의 발달

대근육운동은 걷기나 달리기와 같이 신체를 움직이는 것으로 균형과 협응성을 필요로 하는 운동이고, 유아는 신체를 움직임으로써 주위환경을 탐색하고 생각하며 발달하기 때문에 대근육운동과 소근육운동이 발달한다.

갈라휴의 운동발달단계는 대근육운동의 발달을 기준으로 해서 나눈 것이고, 유아기에 발달하는 대근육운동에는 걷기(walking), 달리기(running), 두발뛰기(jumping), 한발뛰기(hopping), 말뛰기(galloping), 스키핑(skipping) 등이 있다.

### 7 소근육운동의 발달

소근육운동은 손의 정교성, 눈과 손의 협응능력 등이 관여하는 것으로 유아기에 놀이나 학습을 위해 필요한 움직임이고, 여아가 남아보다 더 빨리 발달하는 것으로 보인다.

눈과 손이 협응하여 손기술을 정확하게 구사하는 능력 소근육 조작능력이라 하고, 여러 가지 운동능력들이 통합되고 중추신경계가 성숙함을 의미한다.

그림 그리기는 만 3~4세에 나타나고, 5~6세경에는 블록 쌓기를 매우 잘하며, 6세가 지나면 숟가락과 젓가락을 사용한다.

옷을 벗는 시기는 3세 이후, 4세경에는 세수와 양치질, 빗질도 가능, 5~6세경에는 혼자서 옷을 입고 벗을 수 있으며 신발 끈도 맬 수 있다.

### 8 유아의 운동발달에 영향을 미치는 요인

유아기에 운동능력을 잘 발달시키면 평생을 살아가는 데에 큰 도움이 된다는 것은 모두가 다 아는 사실이다. 그래서 많은 학자들이 유아의 운동능력 발달을 촉진시키는 요인에는 무엇이 있고 억제시키는 요인에는 무엇이 있는지 알아내려고 많은 노력을 해왔다. 그 결과 유아의 운동능력 발달은 한두 가지 요인에 의해서 결정되는 것이 아니라 여러 가지 요인들이 복합적으로 상호작용한 결과라는 것을 알게 되었다.

다음은 유아들의 운동발달에 영향을 미치는 요인들에 대하여 지금까지 연구한 결과를 요약해서 정리한 것이다.

- ☞ 생물학적 관점에서 볼 때 유아들의 운동능력 발달에 가장 크게 영향을 미치는 요인은 신장의 크기이고, 체중은 관련이 아주 적다.
- ☞ 기초체력 중에서 유아의 운동능력과 관계가 깊은 순서는 각근력>완근력>협응력>평형성>유연성 순이다.
- ☞ 어릴 때에는 지적 발달이 운동능력 발달에 크게 영향을 미치지만, 자라면 힘의 세기가 영

향을 더 미친다.

☞ 지능이 정상보다 낮은 아이는 손재주가 필요한 운동은 물론이고 큰 힘을 필요로 하는 운동도 잘못한다.

☞ 4세에서 6세 사이의 유아들을 대상으로 운동능력이 상위인 집단과 하위인 집단의 성격을 비교해본 결과 상위 집단이 사회성, 유치원 적응도, 사회적 안정도 등이 더 좋았다.

☞ 열등감이 강하든지, 변덕스럽든지, 신경질이 있는 유아는 대체적으로 운동능력이 좋지 않았다. 즉, 성격도 유아의 운동발달에 영향을 미친다.

☞ 대도시, 중소도시, 농(산)촌 유아들의 운동능력을 비교해봤더니 4세까지는 농촌 유아가 키는 더 작지만 운동능력은 더 좋았다. 즉, 사회적 환경의 차이가 유아들의 운동능력 발달에 영향을 미친다.

☞ 부모가 유아와 잘 놀아주는 가정의 유아가 운동능력이 더 좋았다.

☞ 형제가 있는 유아가 없는 유아보다 운동능력이 더 좋았다. 즉, 사회적 요인도 유아의 운동발달에 영향을 미친다.

☞ 친구와 집단놀이를 하는 유아가 운동능력이 좋았고, 여자 친구가 많은 남자 유아는 그렇지 않은 유아보다 운동능력이 좋았다. 즉, 교우관계가 운동능력의 발달에 영향을 미친다.

☞ 우리나라의 유아들이 서양의 유아들보다 손과 관련이 있는 운동기능이 잘 발달된다. 즉, 문화적인 환경도 유아의 운동능력 발달에 영향을 미친다.

☞ 유아들의 운동능력을 발달시키는 데에 교육적인 노력(환경적 요인)이 아주 중요하지만, 교육적인 노력만으로 모두 해결되는 것은 아니다. 즉, 유아들의 운동발달에 유전적인 영향도 크다.

☞ 다음의 표는 水野忠文이 쌍둥이들의 자료를 통계적으로 분석해서 유전과 환경이 운동능력의 발달에 영향을 미치는 정도를 분석한 결과이다.

▶ 유전과 환경이 운동능력 발달에 미치는 영향

| 항목 | 종목 | 유전적 요인(%) | 환경적 요인(%) |
|---|---|---|---|
| 체격 | 신장 | 75 | 25 |
| | 체중 | 53 | 37 |
| | 흉위 | 64 | 36 |
| | 폐활량 | 65 | 35 |
| 근력 | 악력(오른쪽) | 26 | 74 |
| | 악력(왼쪽) | 57 | 43 |
| | 배근력 | 25 | 75 |
| 운동능력 | 제자리멀리뛰기 | 11 | 89 |
| | 높이뛰기 | 27 | 73 |
| | 공던지기 | 54 | 46 |
| | 50미터달리기 | 79 | 21 |
| | 버피테스트 | 68 | 32 |

## 유아기의 건강과 운동

### 1 영유아의 건강에 영향을 미치는 요인

영유아의 건강에 영향을 미치는 요인들은 대단히 다양하고, 그 요인들이 서로 역동적이며 복합적으로 작용하기 때문에 어떤 요인이 얼마만큼 영향을 미친다고 정확하게 설명할 수는 없다.

☞ 유전적 요인……부모에게서 받는 유전인자들은 영유아의 신체적 · 정신적 기초를 형성하고, 특성을 결정짓는 역할을 한다. 건강과 관련된 유전적 요인에는 체질, 심장질환, 암, 당뇨, 정신질환 등이 있다.

☞ 환경적 요인……유전적 요인에 의해서 건강의 기초가 형성된다고 하면 환경적 요인에 의해서는 그 기초를 얼마나 지속적으로 발달시킬 수 있는지가 결정된다고 할 수 있다. 영유아들의 건강에 영향을 주는 환경적 요인에는 다음과 같은 것들이 있다.

A. 영양섭취 : 성장 · 발육이 왕성하고 활동량이 많은 영 · 유아기에는 단위체중당 소모하는 열량 또는 영양소가 성인에 비해서 훨씬 많다. 또한 영유아는 위가 적어서 한꺼번에 많은 양의 음식을 먹을 수 없으므로 자주 음식을 섭취해야 한다.

B. 수면과 휴식 : 수면은 피로를 회복하고 에너지를 재충전하기 위해서 꼭 필요한 생리적 현상이고, 개개의 영유아에게 필요한 수면시간이나 숙면의 정도는 개인차가 있다. 밤 10시부터 11시 사이에 가장 깊은 잠을 자고 성장호르몬도 가장 많이 분비되므로 성장기에 있는 유아와 초등학생들은 밤 10시 이전에 잠을 자고 새벽에 일어나는 습관을 들여야 한다.

C. 위생적인 환경과 생활습관 : 위생적인 환경을 유지하고 자신의 몸을 깨끗이 하는 생활습관을 기르는 것은 건강을 유지하는 데에 아주 중요한 일이다.

D. 정서적 안정 : 영유아들도 신체적으로뿐만 아니라 정서적으로도 편안한 환경에서 살아야 건강하게 자랄 수 있으며, 불안한 환경이나 스트레스가 심한 상황에 놓이게 되면 여러 가지 신체적 · 정신적 질환에 걸릴 확률이 높다.

E. 정기적 건강진단 및 질환의 조기발견과 치료 : 질병에 걸리지 않도록 예방하기 위해서는 정기적으로 건강검진을 받게 해야 한다.

F. 치아관리 : 치아는 음식물에 들어 있는 영양분을 섭취할 수 있도록 음식물을 잘게 부수어 주는 역할을 하므로, 평소에 이를 잘 닦는 습관을 갖게 하여 충치가 생기지 않도록 치아관리를 해야 한다.

G. 운동 : 규칙적인 운동은 건강을 유지하기 위해서 아주 중요한 요인이다. 운동을 통해 생명을 유지하는 데 중요한 기관인 심장과 폐를 튼튼하게 할 수 있고, 신체 각 부위의 고른 발달과 적응을 도와주기 때문에 영 · 유아에게도 중요하다.

## 2 유아기 운동의 특징

☞ 유아기 어린이의 운동은 대개 좌우대칭이고, 운동연습을 하면 그 효과가 특정 부위에만 나타나는 것이 아니라 신체 전체의 성장 · 발달로 이어진다.

☞ 유아기의 체력발달은 지금까지 경험한 적이 없는 새로운 운동 패턴을 연습해서 차차 성숙한 동작으로 변해가고,

☞ 체력이 다음 단계로 발달하기 위해서는 신체적으로 준비가 되어 있어야 한다.

☞ 특정한 체력이 발달하는 데에는 최적기와 임계기가 있다.

☞ 운동능력과 운동에 대한 흥미에서 남녀의 성차가 나타나기 시작한다.

## 3 유아기 운동의 효과

☞ 유아기에는 놀이중심 교육을 통해서 유아들의 건강체력과 지각능력 및 사회성을 기르는 것이 가장 중요하다.

☞ 유아기에 적절한 대근육운동을 하면 근육과 내장기관을 발달시키고 혈액순환을 촉진시킨다.

☞ 유아들의 근육은 가냘프고 뼈에 잘 부착되어 있지 않기 때문에 쉽게 피로해지고, 피로에서 빠르게 회복되므로 운동 중에 휴식 시간을 자주 가져야 한다.

☞ 유아기에 운동을 하면 각종 감각기관을 발달시키고, 움직임의 개념을 터득하는 데에 도움이 된다. 신경조직이 발달되어 기억력이 증가하고 학습능력이 향상된다.

☞ 유아기의 운동은 발육을 촉진시키고, 정서적 심리적 안정과 사회성 함양에 크게 도움이 된다.

## 4 WHO에서 5~17세의 소아청소년들에게 권고한 신체활동 지침

☞ 5~17세의 어린이와 청소년의 신체활동에는 가정, 학교 및 지역사회에서의 놀이, 게임, 스포츠, 이동, 여가, 체육수업 또는 계획된 운동 등이 포함된다.

☞ 심폐체력 및 근력, 뼈 건강, 심혈관 및 대사적 건강의 생물학적 지표를 개선하고 불안 및 우울증 증상을 감소시키기 위해서는 다음과 같이 권장된다.

» 5~17세의 어린이와 청소년은 매일 적어도 합계 60분의 중간강도 내지 격렬한 강도의 신체활동을 해야 한다.

» 매일 60분 이상의 신체활동을 하면 더 많은 건강 유익이 있을 것이다.

» 매일 하는 신체활동의 대부분은 유산소 활동이어야 한다. 근육과 뼈 강화활동을 포함한 격렬한 강도의 활동을 적어도 주 3회 이상 실시한다.

## 5 보건복지부의 어린이 및 청소년 신체활동 지침

☞ 규칙적으로 신체활동을 하는 것은 몸을 건강하게 하고 체력을 키우며 다양한 만성질환을 예방한다.

☞ 신체활동은 가정이나 학교에서 스포츠활동 및 체육수업 등에서 운동, 걷기 및 자전거타기 등의 이동 등을 포함하며 전반적으로 활동적인 습관을 갖는 것이 중요하다.

☞ 권장 신체활동은 가장 기본적인 수준이므로 좀 더 건강에 도움이 되려면 신체활동의 강도를 높이거나 활동횟수를 늘리는 것이 좋다.

☞ 움직이지 않고 보내는 여가시간을 하루 2시간 이내로 줄이는 것이 좋으며, 약간의 신체활동이라도 하는 것이 건강에 좋다.

☞ 청소년들이 즐겁고 다양한 신체활동에 참여하도록 적합한 신체활동을 제안하고 적극적인 활동을 격려하는 것이 매우 중요하다.

☞ 중간강도 이상의 유산소 신체활동을 매일 한 시간 이상하고, 최소 주 3일 이상은 고강도의 신체활동으로 실시한다.

☞ 근력운동을 1주일에 3일 이상, 주요 신체부위를 모두 포함하여 실시한다. 근력운동을 한 신체부위는 하루 이상 휴식을 취한 후 다시 하는 것이 좋다. 근력운동으로 체중부하 운동(정글짐, 하늘 사다리, 웨이트트레이닝 등)을 하도록 한다.

# 필수 및 심화 문제

**필수문제**

## 01 발달의 일반원리 중에서 틀린 것은?

① 발달은 분화, 통합적으로 진행된다.
② 발달에 순서는 있지만, 최적기는 없다.
③ 발달은 계속적인 과정이지만, 속도에는 차이가 있다.
④ 성숙과 학습이 발달에 영향을 미친다.

■발달에는 순서와 최적기가 있어서 최적기를 놓치면 항구적인 미발달이 올 수도 있다.

**심화문제**

## 02 유아의 운동능력 발달의 특성 중 옳지 못한 것은?

① 뇌에서 가까운 부분부터 발달한다.
② 중심부분에서 말초부분으로 발달한다.
③ 일방에서 양방으로 발달한다.
④ 수평적 동작에서 수직적 동작으로 발달한다.

■유아의 운동능력은 양방에서 일방으로 발달한다. 즉 두 손을 모두 쓰다가 오른손잡이 또는 왼손잡이가 된다.

## 03 안정성 운동능력에 대한 설명 중 바른 것은?

① 정적 평형성은 무게 중심이 이동할 때 평형을 유지하는 능력
② 동적 평형성은 무게 중심이 고정되어 있을 때 평형을 유지하는 능력
③ 축성 평형성은 굽히기, 펴기, 비틀기, 몸 돌리기 등과 같은 정적자세 유지 능력
④ 안정성 운동은 비교적 가장 늦게 발달하는 능력

■①과 ②의 설명이 서로 바뀌었다.
■안정성운동은 빨리 발달한다.

**필수문제**

## 04 Gallahue가 주장한 유아의 운동발달 순서를 올바르게 쓴 것은?

① 초보움직임단계 → 반사움직임단계 → 기본움직임단계 → 전문화된 움직임단계
② 반사움직임단계 → 초보움직임단계 → 기본움직임단계 → 전문화된 움직임단계
③ 반사움직임단계 → 기본움직임단계 → 초보움직임단계 → 전문화된 움직임단계
④ 반사움직임단계 → 전문화된 움직임단계 → 기본움직임단계 → 초보움직임단계

■갈라휴의 운동발달 단계
반사운동→초보운동→기초운동(기본움직임)→전문운동

정답 01 : ②, 02 : ③, 03 : ③, 04 : ②

**심화문제**

**05 운동발달 기본 움직임 단계에 대한 설명 순서가 바른 것은?**

① 기초 – 반사 – 초보 – 전문화
② 반사 – 초보 – 기본 – 전문화
③ 초보 – 반사 – 기본 – 전문화
④ 반사 – 전문화 – 기본 – 초보

■ 4번 문제 참조

**06 갈라휴(D. L. Gallahue)의 기본운동 분류 중 축성움직임(axial movement)에 대한 설명으로 옳은 것은?**

① 늘리기(stretching)는 축을 이용하는 움직임이다.
② 동적 안정성(dynamic stability)을 위한 기본 움직임이다.
③ 체조의 텀블링 기술과 연계되지 않는다.
④ 이동운동(locomotion)과 결합될 수 없다.

■ 제자리에서 이동하지 않는 부분이 있어야 축성 운동이다.
■ 축성운동은 동적 안정성을 위한 기본 움직임이 아니다.
■ 축성운동은 체조의 텀블링 기술과 연계되어 있다.
■ 축성운동은 이동운동과 결합될 수 있다.

**07 보기에서 갈라휴(D. L. Gallahue)가 제시한 조작운동기술 중 추진운동에 해당되는 것은?**

보기
㉠ 공 던지기(throwing)　　㉡ 공 멈추기(trapping)
㉢ 공 치기(striking)　　㉣ 공 차기(kicking)
㉤ 공 받기(catching)　　㉥ 공 튀기기(bouncing)

① ㉠, ㉡, ㉤, ㉥　　② ㉠, ㉡, ㉣, ㉥
③ ㉠, ㉢, ㉣, ㉥　　④ ㉠, ㉢, ㉤, ㉥

■ 물체에 힘을 가하는 운동이 추진운동이다.

**필수문제**

**08 이동성 운동능력의 출현 순서로 옳은 것은?**

㉠ 서서 도움 없이 초보적 걷기
㉡ 처음으로 달리기(도움 없이 하는 단계)
㉢ 위로 점프하기(약 30cm)
㉣ 숙련된 갤로핑, 성숙된 형태

① ㉠ → ㉡ → ㉢ → ㉣　　② ㉠ → ㉢ → ㉡ → ㉣
③ ㉠ → ㉣ → ㉢ → ㉡　　④ ㉠ → ㉣ → ㉡ → ㉢

■ ㉠은 반사움직임
■ ㉡은 초보움직임
■ ㉢은 기본움직임
■ ㉣은 전문화움직임

정답 05 : ②, 06 : ①, 07 : ③, 08 : ①

**필수문제**

**09 표의 ㉠, ㉡, ㉢에 들어갈 던지기(overarm throw) 동작의 발달단계를 바르게 짝지은 것은?**

| 발달단계 | 특징 | 동작 |
|---|---|---|
| ㉠ | » 체중은 명확하게 앞쪽으로 이동됨<br>» 던지는 팔과 같은 쪽의 다리를 앞으로 내밈 |  |
| ㉡ | » 준비 움직임 동안 체중을 뒷발에 실음<br>» 체중이 이동하면서 반대 발이 앞으로 나아감 |  |
| ㉢ | » 양발은 고정된 상태를 유지함<br>» 던지기를 준비하는 동안 양발을 이동하는 경우가 자주 있으나 특별한 목적은 없음 |  |

① ㉠초보 ㉡시작 ㉢성숙　　② ㉠초보 ㉡성숙 ㉢시작
③ ㉠성숙 ㉡시작 ㉢초보　　④ ㉠성숙 ㉡초보 ㉢시작

■ **던지기 동작의 발달단계**
· 2~3세 : 양발을 고정시킨 채로 몸은 목표방향을 함(**시작**).
· 4~5세 : 던지는 팔과 같은 쪽의 발을 앞으로 내밀고, 체중을 앞으로 이동시킴(**초보**)
· 5세 이상 : 체중을 뒷발에 싣고, 체중을 이동하면서 던지는 팔과 반대쪽 발이 앞으로 나감(**성숙**).

**심화문제**

**10 보기에 해당하는 이동운동 기술은?**

> 보기
> » 체중을 한 발에서 다른 발로 이동시키는 기술이다.
> » 달리기보다 더 높이, 더 멀리 뛰면서 바닥을 접촉하지 않는 상태를 유지한다.
> » 한 발로 멀리 건너뛰기를 하거나 보폭을 크게 하여 달리는 모습과 비슷하다.

① 갤로핑(galloping)　　② 호핑(hopping)
③ 리핑(leaping)　　④ 슬라이딩(sliding)

■ **갤로핑** : 한 발은 앞으로 걷고 다른 발은 달리듯 끌어다 앞다리에 붙이는 동작.
■ **슬라이딩** : 야구에서 수비수가 공을 잡거나 주자가 베이스에 닿을 때 미끄러지듯 몸을 던지는 동작
■ **호핑** : 댄스에서 한 발로 뛰었다가 뛴 발로 착지하는 기본 스텝 동작의 한 가지.

정답 09 : ②, 10 : ③

**필수문제**

**11** **아래의 ㉠, ㉡에 들어갈 갤라휴(D. Gallahue)의 운동발달 단계로 바르게 묶인 것은?**

| 단계 | 내용 |
|---|---|
| ( ㉠ ) | » 움직임은 일상생활, 기본 스포츠 기술, 레크리에이션 분야 등에 응용되고, 세련된 활동이 가능하다.<br>» 기술 발달의 시작과 정도는 다양한 과제요인, 개인요인, 환경요인에 의해 좌우된다. |
| ( ㉡ ) | » 수행이 역학적 효율성을 가지며, 5~6세 유아의 움직임 기술에 해당된다.<br>» 움직이는 물체를 추적하는 정교한 시각운동과 신체의 움직임 등은 완전히 발달하지 않는다. |

| | ㉠ | ㉡ |
|---|---|---|
| ① | 전문화된 움직임 | 초보 움직임 |
| ② | 전문화된 움직임 | 기본 움직임 |
| ③ | 기본 움직임 | 초보 움직임 |
| ④ | 기본 움직임 | 전문화된 움직임 |

■ **기본 움직임** : 4~6세에서 이루어지며, 성숙단계의 움직임.
■ 1~2세는 초보, 5~6세는 기초(기본), 초등은 전문이다.
■ **전문화된 움직임** : 보다 세련되고 응용된 움직임.

**심화문제**

**12** **갤라휴(D. Gallahue)의 운동발달 단계에 대한 설명으로 옳은 것은?**

① 초보운동 단계-운동동작을 서로 연관시켜 하나의 일관된 동작으로 완성하는 단계
② 반사운동 단계-정보를 받아들이는 정보수용단계, 수용된 정보를 처리하며 초기 자발적 움직임이 일어나는 정보처리 단계
③ 기초운동 단계-운동 패턴이 세련되고 효율적인 형태로 발전하는 단계
④ 전문운동 단계-연령에 따라 점차 새로운 운동 기능이 나타나 성숙 되어가는 단계

■ **갤라휴의 운동발달 모형**
■ **반사운동 단계**- 신체 방어와 생존을 위한 본능적 반사운동을 보이는 단계.
■ **초보운동 단계**-생존에 필요한 수의적 움직임
■ **기초운동 단계**-적극적으로 탐구. 시작-초보-성숙단계가 있다.
■ **전문화된 운동 단계(전문 운동 단계)**-스포츠기술을 익히고 평생 동안 활용한다(pp. 33~35 참조).

**13** **보기에서 설명하는 갤라휴(D. Gallahue)의 운동발달 단계는?**

> 보기
> » 초보 움직임의 습득으로 전문화된 움직임을 위한 준비 기간이다.
> » 걷기, 달리기, 던지기 등의 기본동작을 적절하게 발달시켜야 한다.
> » 육체 · 정신적으로 발달이 왕성한 시기이므로 놀이 위주의 신체활동이 필요하다.

① 기본 움직임 단계　　② 전문화된 움직임 단계
③ 초보 움직임 단계　　④ 반사 움직임 단계

■ 11번 문제 참조

정답 11 : ②, 12 : ②, 13 : ①

**14 다음 중 Gallahue가 제시한 움직임의 발달단계를 잘못 설명하고 있는 것은?**

① 반사움직임 단계 : 태아~1세. 대뇌 피질보다 하부에 있는 중추에서 제어되는 불수의적 움직임을 주로 하는 단계이다.
② 초보움직임 단계 : 0~2세. 생존에 필요한 수의적 움직임의 기본 형태이다.
③ 기본움직임 단계 : 2~7세. 자신의 신체 움직임 능력을 통해서 적극적으로 탐구하고 실험하는 시기이다.
④ 전문화된 움직임 단계 : 8~14세. 일상생활에서 필요한 움직임이나 기본적인 스포츠 기술은 수행할 수 있지만, 더 세련되고 복잡한 활동은 하지 못한다.

■ 전문화된 움직임 단계는 더 세련되고 복잡한 활동도 가능하게 된 단계이다.

**15 자리를 이동하지 않고 앉거나, 서거나, 누운 자세에서 이루어지는 움직임은?**

① 안정성 움직임　② 조작성 움직임
③ 이동성 움직임　④ 지각성 움직임

■ 이동하지 않고 안정적인 자세에서 하는 움직임은?

**필수문제**

**16 보기에 들어갈 유아의 기본움직임 발달단계가 바르게 나열된 것은?**

보기
» ( ㉠ ) : 기본적인 움직임을 보이지만, 협응이 원활하지 않아 움직임이 매끄럽지 못하다.
» ( ㉡ ) : 기본 움직임에 대한 제어와 협응이 향상되지만, 신체 사용이 비효율적이다.
» ( ㉢ ) : 움직임의 수행이 역학적으로 효율성을 갖게 되어 협응과 제어가 향상된다.

| | ㉠ | ㉡ | ㉢ |
|---|---|---|---|
| ① | 시작 단계 | 전환 단계 | 전문화 단계 |
| ② | 초보 단계 | 성숙 단계 | 전문화 단계 |
| ③ | 시작 단계 | 초보 단계 | 성숙 단계 |
| ④ | 초보 단계 | 적용 단계 | 성숙 단계 |

■ 갈라휴(D.Gallahue)의 운동발달 단계 중 기본(기초)운동단계 : 시작(입문단계 : ㉠)→초보단계(㉡)→성숙단계(㉢)
p.34 참조

**필수문제**

**17 성숙단계 드리블동작(dribbling)의 특징으로 옳은 것은?**

① 가슴 높이에서 공을 드리블한다.
② 한 발을 앞으로 내밀고 반대편 손으로 드리블한다.
③ 바운드되는 공의 높이가 일정하지 않게 드리블한다.
④ 손목 스냅을 이용하지 않고 손바닥으로 공을 때리면서 드리블한다.

■ **단계별 드리블의 특징**
· **시작단계** : 양손으로 공 잡기, 양팔로 공을 아래쪽으로 밀어냄, 공을 몸이 가까운 지면에서 접촉, 튀는 공의 높이가 일정하지 않음
· **초보단계** : 공의 위아래를 다른 손으로 잡음, 공을 가슴높이에서 다룸, 공 제어 능력이 부족함
· **성숙단계** : 내민 발의 반대쪽 손으로 드리블, 몸통을 약간 앞으로 숙임, 공을 허리높이로 올림, 드리블 방향 제어

정답 14 : ④, 15 : ①, 16 : ③, 17 : ②

**심화문제**

## 18 걷기 동작의 발달단계 중 시작 단계(생후 12개월 전후)의 특징으로 옳지 않은 것은?

① 균형을 쉽게 잃게 된다.
② 보폭이 짧다.
③ 기저면이 상대적으로 좁다.
④ 발바닥 전체로 바닥과 접촉하며 걷는다.

■ 영아는 다리를 벌리고 걸으므로 기저면이 넓다.

## 19 오버핸드 던지기 운동기술의 발달단계 중 시작단계의 특징으로 옳지 않은 것은?

① 팔꿈치 위주로 동작한다.
② 양발은 고정된 상태를 유지한다.
③ 몸통회전을 이용하지 못한다.
④ 체중을 이용한다.

■ 체중을 이용하는 것은 마지막 단계이다.
■ 9번 문제(p.43) 참조

**필수문제**

## 20 보기에서 설명하는 기초이동 운동능력은?

보기

» 모든 구간에서 체중 이동이 자연스러움
» 체중 이동이 이루어지는 동안 팔의 움직임이 줄어듦
» 호핑 구간 동안 지지하는 다리의 발이 지면 가까이 있음

① 리핑(leaping) ② 겔로핑(galloping)
③ 슬라이딩(sliding) ④ 스키핑(skipping)

■ 교대로 한쪽 발로 가볍게 뛰는 동작이 스키핑이다.

정답 18 : ③, 19 : ④, 20 : ④

**심화문제**

## 21 다음은 인간의 운동발달의 개념을 설명한 것들이다. 가장 설명이 미흡한 것은?

① 태 속에서 임종까지 모든 기간 동안에 일어나는 변화의 과정이다.
② 질서 있고 일관성 있게 일어나는 신체적 · 심리적 변화들이 종합되어 높은 적응력을 향해서 나아가는 과정이다.
③ 인지 · 신체 · 정서적 변화의 통합적인 개념이다.
④ 유아기의 운동발달과 다른 영역의 발달 사이에는 아무런 관련도 없다.

■ 유아기의 운동발달이 다른 영역의 발달에 큰 영향을 미치는 것은 맞지만, 운동발달의 개념을 설명하는 것은 아니다.

## 22 다음 설명 중 잘못된 것은?

① 일정한 시기가 되면 자연히 발생하는 신체적 · 생리적 변화에 의한 양적 변화를 '성장'이라고 한다.
② 성장을 기초로 해서 나타나는 질적 변화를 '성숙'이라고 한다.
③ 유기체 또는 유기체의 기관이 양적으로 증대하고, 구조가 정밀해지며, 기능이 유능해지는 것을 '발달'이라고 한다.
④ 발달에는 환경과의 상호작용이나 학습에 의해서 이루어지는 변화는 포함되지 않는다.

■ '학습에 의한 변화'는 발달에는 포함되지만, 성장이나 성숙에는 포함되지 않는다.

**필수문제**

## 23 보기에서 설명하는 유아의 기본운동기술 유형은?

보기
» 물체를 다루는 능력이다.
» 추진운동 기술과 흡수운동 기술로 구분한다.
» 예로는 치기(striking)와 받기(catching)가 있다.

① 안정성(stability) ② 지각성(perception)
③ 이동성(locomotion) ④ 조작성(manipulation)

■ 유아기의 기본운동기술의 유형 중 조작성기술은 집기, 놓기, 내던지기, 던지기, 차기, 치기, 잡기(공튀기기), 때리기, 받기, 노젓기 등이다.

**심화문제**

## 24 운동기술이 움직임과 다른 점을 설명한 것이다. 옳지 못한 것은?

① 운동기술은 관련된 동작이 특정한 목적이 있어야 한다.
② 운동기술은 수의적인 동작이어야 한다.
③ 운동기술은 목적을 달성하기 위해서 신체나 사지의 움직임이 반드시 있어야 한다.
④ 운동기술은 반드시 효율적인 움직임이어야 한다.

■ 대부분의 운동기술이 효율적인 움직임으로 구성되어 있지만, 비효율적인 움직임이라고 해서 운동기술이 아닌 것은 아니다.

정답 21 : ④, 22 : ④, 23 : ④, 24 : ④

■ 힘과 관련이 있으면 조작성 움직임이다.

**25** **뻗기, 쥐기, 놓기, 잡기, 치기 등은?**

① 이동성 움직임 ② 조작성 움직임
③ 안정성 움직임 ④ 평형성 움직임

■ 힘을 흡수하는 기술(잡기, 받기, 볼멈추기)이 흡수조작 기술이다.

**26** **흡수조작(absorptive manipulation) 운동기술에 해당하는 것은?**

① 볼 멈추기(ball trapping) ② 볼 차기(ball kicking)
③ 볼 튀기기(ball bouncing) ④ 볼 굴리기(ball rolling)

■ 반사운동은 무의식적으로 하는 것이므로 움직임 기술이 아니다.

**27** **유아기 기본적인 움직임 기술에 해당되지 않는 것은?**

① 이동 운동 ② 반사 운동
③ 비이동 운동 ④ 조작 운동

■ 날아오는 공을 잡기처럼 환경의 변화를 예측할 수 없는 상태에서 수행하는 기술은 **개방형 운동기술**, 정지하여 있는 공을 차기처럼 안정되고 변화하지 않는 환경에서 수행하는 기술을 **폐쇄형 운동기술**로 분류한다.

**필수문제**

**28** **운동기술의 1차원 분류법에 대한 설명이다. 틀린 것은?**

① 운동기술에 관련된 움직임의 어느 한 면만을 관찰하여 분류하는 방법이다.
② 움직임을 일으키는 근육에 따라서 대근 운동기술과 소근 운동기술로 분류한다.
③ 움직임의 (시간적)연속성에 따라서 불연속 운동기술, 연속 운동기술, 지속 운동기술로 분류한다.
④ 움직임이 일어나는 환경에 따라서 정적 운동기술과 동적 운동기술로 분류한다.
⑤ 움직임의 목적 또는 기능에 따라서 안정과제, 이동과제, 조작과제로 분류한다.

■ **조작운동** : 차기, 던지기, 때리기, 공굴리기, 잡기, 멈추기 등
■ **안정성운동** : 굽히기, 늘리기, 돌기, 흔들기, 몸 굴리기, 균형잡기 등

**심화문제**

**29** **보기의 ㉠, ㉡에 들어갈 기본 운동발달의 요소는?**

보기

| | |
|---|---|
| ( ㉠ ) | » 배트로 치기 연습하기(striking)<br>» 날아오는 공을 발로 잡기(trapping) |
| ( ㉡ ) | » 철봉 잡고 앞뒤로 흔들기 (swinging)<br>» 몸통을 굽히거나 접기 (bending) |

| | ㉠ | ㉡ | | ㉠ | ㉡ |
|---|---|---|---|---|---|
| ① | 조작운동 | 이동운동 | ② | 이동운동 | 조작운동 |
| ③ | 안정성운동 | 조작운동 | ④ | 조작운동 | 안정성운동 |

정답 25 : ②, 26 : ①, 27 : ②, 28 : ④, 29 : ④

## 30 그림의 동작에서 성숙 단계로 발달하도록 지도하는 방법이 적절하지 않은 것은?

시작단계의 구르기(rolling) 동작

① 이마가 지면에 닿게 지도한다.

② 머리가 동작을 리드할 수 있도록 지도한다.

③ 구르는 힘을 생성할 수 있도록 양팔의 움직임을 지도한다.

④ 몸이 구르는 내내 압축된 C자 모양을 유지할 수 있도록 지도한다.

■ 구르기 동작의 단계별 특징

■ 시작단계
· 머리를 바닥에 댐
· 몸을 늘어진 C자 모양으로 웅크림
· 양손을 협응하는 능력이 없음
· 뒤 혹은 옆으로 구르지 못함
· 앞으로 구른 후 몸을 L자로 곧게 폄

■ 초보단계
· 앞으로 구른 후 동작들이 끊어짐
· 머리가 동작을 억제하는 것이 아니라 동작을 리드함
· 머리 위가 여전히 지면에 닿아 있음
· 구르기 시작 시 몸을 압축된 C자 모양으로 웅크림
· 구른 후 L자 모양으로 곧게 폄
· 양손과 팔의 약간 밀어내는 동작으로 구르기 동작에 어느 정도 도움이 됨
· 한 시기에 한 번의 구르기만 할 수 있음

■ 성숙단계
· 머리가 동작을 리드함
· 뒤통수가 바닥에 살짝 닿음
· 몸은 내내 압축된 C자 모양 유지
· 양팔은 힘을 생성하는 데 도움이 됨
· 운동량으로 인해 아동은 원래의 시작 자세로 돌아옴

## 31 유아의 기초운동 기능 중 조작운동에 포함되지 않는 것은?

① 치기 ② 던지기 ③ 달리기 ④ 차기

■ 조작운동은 힘을 주고받는 운동이다.

## 32 유아기 이동기술(locomotion) 중 복합기술인 것은?

① 걷기(walking) ② 달리기(running)

③ 갤로핑(galloping) ④ 호핑(hopping)

■ 갤로핑은 두 발이 움직이는 순서가 잘 맞아야 하므로 복합기술이다.

정답 30 : ①, 31 : ③, 32 : ③

**33** **그림의 동작이 성숙단계로 발달하도록 지도하는 방법으로 적절하지 않은 것은?**

그림

수직점프(vertical jump)의 초보단계

① 도약과 착지 지점이 멀리 떨어지도록 지도한다.
② 두 팔을 동시에 위로 올리는 협응동작을 지도한다.
③ 두 발로 동시에 도약하고 착지할 수 있도록 지도한다.
④ 도약 후 공중에서 몸 전체를 뻗을 수 있도록 지도한다.

■ 수직점프를 할 때는 도약지점과 착지지점이 가까워야 한다.

필수문제

**34** **아동의 발달을 이론적으로 설명하는 이론에는 성숙주의 이론, 행동주의 이론, 인지주의 이론, 사회학습 이론 등이 있다. 다음은 Gessel의 성숙주의 이론의 설명이다. 틀린 것은?**

① 인간의 개체가 성숙한 단계에 이르게 되는 힘은 유전적 요인에 있다는 것을 전제조건으로 하기 때문에 성숙주의 이론이라고 한다.
② 유아가 발달적 준비가 되었을 때 자신의 발달수준에 맞는 활동을 스스로 선택해서 하도록 해야 한다고 주장하면서
③ 약 10년 동안의 유아기에 일어나는 변화를 표로 만들어서 표준목록으로 제시하였다.
④ 그 표준목록에 맞추어서 성장하도록 돕기만 하면 된다고 주장하는 이론이다.
⑤ 성숙주의 이론은 인간의 발달에 유전적 요인이 미치는 영향을 너무 과소평가하였다는 비판을 받는다.

■ 성숙주의 이론은 유전적 요인을 너무 과대평가하고, 환경적 요인을 너무 과소평가하였다.

정답 33 : ①, 34 : ⑤

필수문제

**35 아래의 ㉠, ㉡에 들어갈 유아기 발달 이론이 바르게 묶인 것은?**

| 단계 | 적용 내용 |
|---|---|
| 대상 | » 발달단계에 이르게 되는 결정적인 힘은 개체가 가진 유전적 요인에 전적으로 의존한다는 관점이다.<br>» 유아가 발달 준비가 되었을 때, 성인의 개입을 최소화하고 자신의 발달수준에 적합한 활동을 스스로 선택하도록 한다. |
| 지도 | » 최근 대두되는 관점으로, 인간이 생물로서 다양한 환경에 적응하는 것을 발달적 관점에서 연구하는 이론이다.<br>» 유아의 행동을 미시체계, 메소체계, 엑소체계, 거시체계의 개념으로 나누어 연구한다. |

① ㉠성숙주의(A. Gesell) ㉡ 심리사회발달 이론(E. Erikson)
② ㉠성숙주의(A. Gesell) ㉡ 생태학적 이론(U. Bronfenbrenner)
③ ㉠인지주의(J. Piaget) ㉡ 생태학적 이론(U. Bronfenbrenner)
④ ㉠인지주의(J. Piaget) ㉡ 심리사회발달 이론(E. Erikson)

■ **성숙주의** : 유아는 스스로 발달한다는 이론
■ **생태학적 이론** : 인간은 생물로서 다양하게 발달한다는 이론
■ **인지주의** : 내부적으로 일어나는 능동적인 사고와 인지과정
■ **심리사회발달이론** : 영아기에서부터 생애 전 과정에 이르는 발달 이론

심화문제

**36 보기에서 운동 발달과 관련성이 높은 감각체계들을 바르게 고른 것은?**

> 보기
> ㉠ 시각(visual) 체계　　㉡ 운동감각(kinesthetic) 체계
> ㉢ 미각(gustatory) 체계　　㉣ 후각 (olfactory) 체계

① ㉠, ㉢　② ㉡, ㉣　③ ㉠, ㉡　④ ㉢, ㉣

■ 미각과 후각체계는 운동발달과 관련성이 별로 없다.

필수문제

**37 유아기의 영양섭취와 거리가 먼 것은?**

① 신체와 정신발달에 영향을 미친다.　② 부모의 지도가 필요하다.
③ 편식습관에 주의해야 한다.　④ 운동 전에 섭취해야 한다.

■ 유아기에는 수시로 영양을 섭취해야 한다.

심화문제

**38 영유아의 신체가 발달하는 형태가 아닌 것은?**

① 신경형　② 림프형　③ 생식형　④ 순환형

■ 순환형이 아니라, 신체형이다.

정답 35 : ②, 36 : ③, 37 : ④, 38 : ④

## 39 영유아의 신경형 발달의 설명 중 옳지 못한 것은?

① 뇌 · 척수 · 안구 등이 신경형 발달을 한다.
② 영유아기에 급격히 발달한다.
③ 8세 때 성인의 약 95%까지 자란다.
④ 태어날 때에는 발달이 거의 안 된 상태이지만 영아기에 급속히 자란다.

■ 신경형은 태아 때부터 급격하게 발달한다.

## 40 유아의 운동발달에 대한 설명으로 틀린 것은?

① 남녀의 차이가 없다.
② 신생아기에는 반사운동을 주로 한다.
③ 걷기, 구르기, 기기와 같은 이동운동은 1~2세에 습득한다.
④ 5세부터 체력과 운동능력을 측정할 수 있다.

■ 운동발달에는 남녀의 차이가 있다.

**필수문제**

## 41 유아기의 운동특성이다. 틀린 것은?

① 운동양식이 대개 좌우대칭이다.
② 운동연습을 하는 부위가 주로 발달한다.
③ 여러 가지 운동패턴을 경험한다.
④ '더 빨리 더 힘 있게'하는 식으로 발달하는 것이 아니라 '얼마나 안전하게', '얼마나 많은 종류의 운동을 할 수 있느냐?'하는 식으로 발달한다.

■ 유아기에는 운동연습을 하면 모든 부위가 발달하고, 영양을 섭취하면 모든 부위로 분배된다.

**심화문제**

## 42 유아기의 규칙적인 운동의 효과가 아닌 것은?

① 체지방률 감소　② 골밀도 감소
③ 심폐지구력 발달　④ 운동기능의 발달

■ 유아에게 운동을 시키면 뼈가 튼튼하게 자라므로 골밀도가 증가한다.

## 43 운동기술 습득단계에 대한 설명으로 바른 것은?

① 개별화 과정 : 움직임 수행의 일반적 특성을 인식하고 관련된 움직임을 찾기 시작
② 조합 과정 : 한 움직임 기술을 다른 기술과 결합하기 시작
③ 적용 과정 : 효과적이고 의미 있는 움직임 형태의 탐색 시작
④ 탐색 과정 : 특정한 과제를 수행하기 위해 자신의 특성과 한계에 따라 수정하고 조정

■ ①은 탐색과정이고, ③과 ④의 설명이 서로 바뀌었다.

## 44 2~5세 아동에게 적합한 하루의 수면시간은?

① 6 시간　② 10~12 시간　③ 18시간 이상　④ 6시간 이하

정답 39 : ④, 40 : ①, 41 : ②, 42 : ②, 43 : ②, 44 : ②

필수문제

**45** **세계보건기구(WHO, 2020)가 권장한 유아·청소년기 신체활동 지침으로 옳은 것은?**

① 만 1세 이전 : 신체활동을 권장하지 않는다.
② 만 1~2세 : 하루 180분 이상의 저·중강도 신체활동을 권장한다.
③ 만 3~4세 : 최소 60분 이상의 중·고강도 신체활동을 포함한 하루 180분 이상의 신체활동을 권장한다.
④ 만 5~17세 : 최소 주 5회 이상의 고강도 근력 운동을 포함한 하루 60분 이상의 중·고강도 신체활동을 권장한다.

■만 1세 이전에도 신체활동이 필요하다.
■만 1~2세는 하루 180분 이상의 중간 및 고강도 신체활동이 필요하다.
■만 5~17세는 최소한 주 5회 이상의 중간강도 근력운동을 포함하여 하루 1시간 이상의 중간 및 고강도 신체활동이 필요하다.

필수문제

**46** **2012년 세계보건기구(WHO)에서 제시하는 아동의 신체활동 지침에 대한 설명으로 옳은 것은?**

① 유산소성 신체활동을 주로 한다.
② 저항성 운동을 실시하지 않는다.
③ 누적 60분 이상의 중고강도 수준으로 신체활동을 주 3회 한다.
④ 정기적인 신체활동을 권고하는 이유는 안전 때문이다.

■② 아동들에게도 적절한 저항성 운동이 필요하다.
■③ 주기적인 중 · 고강도 운동은 아동들에게 적절하지 않다.
■④ 아동들에게 신체활동을 권고하는 이유는 육체적 · 정신적 · 사회적으로 건강한 사람으로 성장시키기 위해서이다.

필수문제

**47** **국립중앙의료원(2010)이 제시한 어린이·청소년 신체활동 권장사항이 아닌 것은?**

① 인터넷, TV, 게임 등을 위해 앉아서 보내는 시간은 하루 2시간 이내로 한다.
② 일주일에 3일 이상 유산소운동, 근육강화운동, 뼈강화운동을 한다.
③ 운동강도 조절을 위해 놀이공간의 안전성은 고려하지 않는다.
④ 매일 1시간 이상 운동을 한다.

■국립중앙의료원이 제시한 어린이 · 청소년 신체활동 권장사항(2010)
· 매일 1시간 이상 운동을 권장한다.
· 유산소운동, 근육강화운동, 뼈강화운동은 1주일에 3일 이상(1회 운동시간 1시간 이상) 실시한다.
· 앉아서 보내는 시간(인터넷, TV시청, 게임 등)은 1일 2시간 이내로 한다.

필수문제

**48** **고강도 운동 시 성인과 비교하여 유소년에게 나타나는 생리적 반응으로 적절하지 않은 것은?**

① 1회박출량 : (성인에 비하여) 낮음
② 호흡 수 : (성인에 비하여) 높음
③ 수축기 혈압 : (성인에 비하여) 낮음
④ 심박수 : (성인에 비하여) 낮음

■④ 유소년들은 고강도 운동을 하면 성인보다 심박수가 높다.

정답 45 : ③, 46 : ①, 47 : ③, 48 : ④

04 Chapter

# 유아기 운동발달 프로그램의 구성

## 유아기 운동발달 프로그램 구성의 기본원리

### 1 적합성의 원리

아이에게는 각 영역별 발달이 활발하게 일어나는 시기가 있다. 이 시기를 '결정적 시기' 또는 '민감기'라 하고, 이 시기에 적절한 자극을 주면 제대로 발달할 수 있지만 이 시기를 놓치게 되면 그 영역의 발달이 더뎌진다. 그러므로 유아들의 운동프로그램을 구성할 때에는 민감기를 고려해서 적절한 운동을 경험할 수 있도록 해주어야 한다는 것을 적합성의 원리라고 한다.

민감기에는 다음과 같은 활동을 주로 해 주어야 좋다.

☞ 아이가 하고 싶은 것을 하고, 보고 싶은 것을 보고, 만지고 싶은 것을 만질 수 있도록 해주어야 한다……아이가 바라는 것이 있다고 느껴지면 아이의 욕구를 즉각적으로 채워주려고 노력하는 것이다.

☞ 근육의 발달을 도와준다……이 시기의 아이들은 근육이 점점 발달하면서 점점 활동량이 늘어난다. 손과 같은 작은 근육뿐 아니라 몸 전체의 대근육도 발달한다. 목을 가누고 몸을 뒤집고, 기어가는 등 이동능력이 점점 발달하면서 아이가 바라는 물건이 생기면 스스로 다가가기도 한다. 위험한 것이 아니라면 아이가 물건을 충분히 탐색할 기회를 만들어주기 위해서 만져보도록 놔두는 것이 좋다.

☞ 아이의 행동에 반응을 보여준다……아이가 옹알이를 할 때마다 그에 대해 반응을 보여주는 것이 중요하다.

### 2 방향성의 원리

아동의 발달은 일정한 순서와 방향에 따라서 이루어지므로, 유아들을 위한 운동프로그램을 구성할 때에도 그 순서와 방향에 부합되게 해야 된다는 것을 '방향성의 원리'라고 한다. 두미의 원리, 중심말초의 원리, 세분화의 원리

### 3 특이성의 원리

아동들은 연령이나 성별에 따라 보편적인 발달 경향을 따르기는 하지만 그들의 외모가 다른 것만큼이나 발달에서도 개인차를 보인다. 이와 같이 발달에는 개인차가 있으므로 유아들을 위한 운동프로그램을 구성할 때에는 개개인의 발달 차이를 고려해서 해야 한다는 것을 '특이성의 원리'라고 한다.

### 4 안전성의 원리

유아들은 호기심이 강하고 주의력과 조심성이 부족하기 때문에 위험한 환경을 인식하기도 어렵고 적응도 잘 못한다. 그러므로 유아체육 지도자는 체육활동이 안전하고 충분한 공간 내에서 이루어지도록 해야 한다는 것을 '안전성의 원리'라고 한다.

### 5 연계성의 원리

연계성의 원리는 3가지 측면에서 설명할 수 있다.

☞ 3세 유아들의 운동프로그램을 구성하는 내용과 4세 유아들의 운동프로그램 구성 내용이 서로 연관성이 있어야 한다.

☞ 유아들의 성장발달 과정이 미숙한 단계에서부터 점차로 진보적인 단계로 진행된다는 것을 고려해서 유아들의 운동프로그램을 구성할 때에는 전단계의 발달을 이어받고, 동시에 다음에 진행될 발달을 촉진시켜 줄 수 있도록 구성해야 한다.

☞ 유아들에게 운동을 시킨다고 해서 운동능력만 발달하는 것이 아니라 인지능력, 감각능력, 정서적인 측면, 사회적인 측면에서의 능력들이 서로 영향을 미치면서 모두 발달하기 때문에 유아들의 운동프로그램을 구성할 때에는 운동능력 이외의 다른 능력들도 향상시킬 수 있도록 구성해야 한다.

### 6 다양성의 원리

다양성의 원리는 다음과 같은 목적을 달성할 수 있도록 운동프로그램을 다양하게 구성해야 한다는 원리이다.

☞ 유아들은 집중력이 떨어지고 쉽게 흥미를 잃어버린다는 특성이 있기 때문에 유아들의 흥미를 끌려면 운동프로그램을 아주 다양하게 구성해야 한다.

☞ 유아들의 운동은 어떤 운동을 아주 세련되고, 힘차고, 빠르게 하는 것이 목적이 아니고 가급적이면 많은 종류의 운동을 폭 넓게 경험할 수 있도록 구성해야 한다.

## 유아의 운동발달 프로그램 구성 시 일반적인 고려사항

유아들의 운동프로그램을 구성할 때에는 일반적으로 다음 사항들을 고려해야 한다.

| | |
|---|---|
| 교육대상 | 교육대상으로 하려는 영유아의 나이, 요구, 흥미, 발달 수준 등을 정확하게 파악하고 고려해서 프로그램을 구성해야 한다. |
| 가정환경 및 부모의 요구 | 교육대상인 아동들의 가정환경과 그 부모들의 요구 사항을 충분히 고려해서 프로그램을 구성해야 한다. |
| 지역사회의 실정 | 교육대상인 아동들이 살고 있는 지역사회의 특성, 사회문화적인 환경, 지리적 특성, 주민들의 생활양식, 사회시설 등도 고려해서 학습내용과 학습활동을 선정해야 한다. |
| 교육과정 | 교육과정을 편성할 때 누리과정 등에서 법으로 정해 놓은 영역과 영양, 건강, 안전, 지역사회와의 교류, 부모에 대한 서비스 등을 고려해서 편성해야 한다. |
| 수업일수와 시간 | 연간 수업일수는 공휴일을 제외하고는 연중무휴를 원칙으로 하는 것이 좋다. 하루 수업시간도 부모들의 근무시간 등을 고려해서 정해야 한다. |
| 학급당 원아의 수 | 교육시설의 형태와 원아들의 연령대에 따라 학급당 원아의 수를 정하고, 학급당 원아의 수를 고려해서 프로그램을 구성해야 한다. |
| 보육시설 | 유아들은 주위 환경과 상호작용을 하면서 다양한 활동을 통해서 자란다. 그러므로 보육시설의 자연환경은 물론이고 놀이시설 등 각종 교육시설도 중요한 역할을 하므로 잘 고려해서 프로그램을 구성해야 한다. |

## 안정성 발달을 위한 운동프로그램의 구성요소

### 1 축성 안정성 운동

신체나 신체분절의 중심선을 가운데에 두고 양쪽에서 서로 반대방향으로 움직이거나 관절을 축으로 움직이는 운동을 축성운동이라 하고, 다음과 같은 운동들이 포함된다. 굽히기(bending), 늘리기(stretching), 비틀기(twisting), 돌기(turning), 흔들기(swinging)

### 2 정적 안정성 운동

정지한 상태에서 균형을 잡는 운동으로 다음과 같은 운동들이 포함된다. 직립균형잡기(upright balance), 거꾸로 균형잡기(inversed balance)

### 3 동적 안정성 운동

몸이 움직이는 상태에서 안정되게 균형을 잡는 것으로 다음 운동들이 포함된다. 구르기(rolling), 시작하기(starting), 멈추기(stopping), 피하기(dodging), 돌기(turning), 흔들기(swinging)

## 이동운동 발달을 위한 운동프로그램의 구성요소

### 1 단일요소 이동운동

신체의 위치를 다른 곳으로 이동시키는 운동 중에서 한 가지 운동 요소만을 포함하고 있는 것을 단일요소 이동운동이라 하고, 다음과 같은 운동들이 거기에 포함된다. 걷기(walking), 달리기(running), 리핑(leaping), 모둠발뛰기(jumping), 외발뛰기(hopping)

### 2 복합요소 이동운동

걷거나 뜀뛰기와 같은 단일 요소에 다른 요소가 더 첨가되어 있는 운동으로 다음과 같은 것들이 포함된다. 기어오르기(climbing), 갤로핑(galloping), 슬라이딩(sliding), 스키핑(skipping)

## 조작운동 발달을 위한 운동프로그램의 구성요소

### 1 추진 조작운동

손이나 발로 물체에 힘을 가해서 물체를 움직이게 하거나 더 빠르게 움직이도록 만드는 운동으로 다음과 같은 것들이 포함된다. 쓰기(writing), 그리기(drawing), 자르기(cutting), 찌르기(poking), 굴리기(rolling), 던지기(throwing), 치기(punching), 차기(kicking), 튀기기(bouncing), 펀팅(punting), 맞추기(striking), 되받아치기(volleying)

### 2 흡수 조작운동

날아오거나 굴러오는 물체에 힘을 가해서 정지시키거나 속도를 줄이는 운동으로 다음 것들이 포함된다. 잡기(catching), 받기(receiving), 볼 멈추기(ball trapping)

## 지각운동 발달을 위한 운동프로그램의 구성요소

모든 수의적인 운동은 주위환경이나 신체 내부에 있는 감각기관들로부터 들어오는 각종 감각 정보들을 중추신경계통에서 통합하고 해석해서 인지한 다음 그 자극에 대응하는 반응을 하도록 근육뼈대계통에 명령을 내리면 근육뼈대계통이 그 명령을 수행함으로써 이루어진다.

이때 감각기관에는 눈, 귀, 코, 혀와 같이 특별한 기관이 있는 경우도 있고, 촉각, 압각, 통각, 운동감각, 공간감각, 시간감각처럼 온 몸에 감각기관이 흩어져 있는 경우도 있다.

그리고 각종 정보를 통합하고 해석해서 인지하는 것을 지각이라고 한다. 같은 정보가 입력되더라도 사람마다 지각하는 내용도 다르고 반응하는 방법도 다르다. 그러므로 지각운동 능력은 개개인의 감각능력과 인지능력의 영향을 크게 받고, 신체를 조절하고 결합시키는 능력과 직접적인 관계가 있다.

지각운동이 감각의 종류만큼이나 다양하기 때문에 지각운동을 발달시키기 위한 운동프로그램을 구성하는 요소도 다음과 같이 대단히 다양하다.

| | |
|---|---|
| 신체지각 | 자신의 신체의 위치나 모양, 신체 부위 간의 관계 등을 구별하는 능력. |
| 공간지각 | 공간 안에서 자신의 신체 위치를 인식하는 능력과 공간의 거리와 높이를 구별하는 능력. |
| 방향지각 | 방향과 좌우를 구별하는 능력. |
| 시간지각 | 동작의 속도와 리듬을 구별하는 능력. 시간인식, 리듬인식, 속도인식. |
| 관계지각 | 사물이나 다른 사람과의 관계를 구별하는 능력. |
| 움직임의 질 | 움직임에 포함되어 있는 균형, 힘, 시간, 흐름을 구별하는 능력. |
| 무게지각 | 근육의 긴장 정도와 자세 변화를 구별하는 능력. |

## 체력발달을 위한 운동프로그램의 구성요소

체력은 신체적 활동을 수행할 수 있는 능력을 말하며, 스포츠 등 육체적인 능력이 좋은 사람, 질병에 저항력이 좋은 사람, 피로에 잘 견디는 사람 등은 체력이 좋다고 평가된다.

체력은 건강관련 체력과 운동관련 체력으로 구분하고, 체력발달을 위한 운동프로그램에는 다음과 같은 구성요소가 포함되어 있어야 한다.

### 1 건강관련 체력

일상생활에서 적극적으로 활동할 수 있는 신체능력으로, 적절한 운동을 하면 건강관련 체력을 후천적으로 향상시킬 수 있다.

| | |
|---|---|
| 심폐지구력 | 호흡기관이나 순환계통이 오랜 시간 동안 지속되는 운동이나 활동에 버틸 수 있는 능력을 말한다. 운동을 통해서 심폐능력이 향상되면 운동수행능력의 향상뿐만 아니라 쉽게 피로해지지 않고, 심혈관질환이나 심장동맥질환의 위험요인도 감소된다. |
| 근력 | 근육이나 근조직이 한 번 수축할 때에 발휘할 수 있는 힘 즉, 저항을 이기고 근육이 힘을 낼 수 있는 능력을 말한다. 신체활동 및 신체기능에 근력이 많은 영향을 미치고, 50대 이후부터는 10년마다 약 10%씩 감소되므로 지속적인 운동을 통해서 근력을 유지하는 것이 매우 중요하다. 그리고 근력은 운동을 하면 증가되지만, 운동을 하지 않으면 감소되는 특성을 지니고 있다. |
| 근지구력 | 근육저항에 대해서 근육이 오래 동안 지속적으로 대항할 수 있는 능력 즉, 근육이 반복적으로 수축을 계속할 있는 능력을 뜻한다. 노화과정에서 근지구력도 감소되는 변화를 보이므로 반복적인 저항성 운동을 통해서 근지구력을 유지하는 것이 중요하다. |
| 유연성 | 근육과 관절이 움직일 수 있는 범위가 넓은 것을 말하고, 관절의 움직임을 평가하는 중요한 지표가 된다. 유연성은 스트레칭을 통해서 지속적으로 이루어질 수 있고, 목, 어깨, 허리, 고관절의 유연성이 건강관련 체력에 크게 영향을 미친다. |
| 신체조성 | 신체의 구성 비율을 말하며 크게 체지방량과 제지방량으로 나누어 볼 수 있다. 나이가 들면서 피하지방은 줄고 내장지방은 늘어가는데, 내장지방은 심혈관 및 내과적 질환의 발생률을 증가시킬 수 있으므로 적정체중을 유지하는 것이 매우 중요하다. |

### 2 운동관련 체력

스포츠 등에서 기술을 발휘하는 데에 필요한 능력을 말하고, 선천적인 요소를 많이 가지고 있기 때문에 운동을 통해서 운동체력을 향상시키는 데에는 한계가 있다.

☞ 순발력……단시간에 폭발적으로 힘을 내는 능력으로 근력이 강하고 속도가 빠르면 순발력이 크다. 순발력을 강화하기 위한 트레이닝

A. 운동강도 : 근력이 좋고 속도가 부족 시에는 최대근력의 30%
속도가 좋고 근력 부족 시에는 최대근력의 80%

B. 운동시간 : 속도가 부족 시에는 최대근력의 30% 중량으로 3~6초 실시하며, 반복횟수는 8~12회.
근력이 부족 시에는 최대근력의 80% 중량으로 5~8초 실시하며, 반복 횟수는 3~5회.

C. 운동빈도 : 주 3회 또는 격일제로 실시하고, 세트와 세트 사이의 휴식은 3~4분 정도.

☞ 민첩성……움직임의 방향이나 몸의 위치 등을 신속하게 변화시켜서 다른 움직임으로 옮길 수 있는 능력으로, 속도, 균형, 협응성과도 관계가 깊다. 속도에 관한 능력은 선천적인 경향이 있으나 훈련을 통하여 향상시킬 수 있다. 질주 트레이닝, 부하를 경감한 트레이닝, 연속도약 트레이닝 등을 통해서 민첩성을 향상시킬 수 있다.

☞ 평형성……운동 중에 또는 정지하여 있을 때에 신체의 안정을 유지하는 능력을 말한다.

☞ 협응성(조정력)……끊임없이 변화하는 운동과제에 대하여 신속 · 정확하게 대응하여 운동을 수행하는 능력을 말한다. 조정력을 향상시키려면 운동 시 동작을 정확하게 해야 하고, 몸이 피로하지 않은 상태에서 연습해야 하며, 정확한 동작을 반복해서 연습함으로써 신경망을 구축해야 한다.

☞ 교치성……근육과 신경계의 협응으로 정확한 동작을 수행할 수 있는 능력이다.

## 2019 개정 누리과정(신체운동 · 건강 영역)

| | |
|---|---|
| 신체활동 즐기기 | 신체를 인식하고 움직인다.<br>신체 움직임을 조절한다.<br>기초적인 이동운동, 제자리 운동, 도구를 이용한 운동을 한다.<br>실내외 신체활동에 자발적으로 참여한다. |
| 건강하게 생활하기 | 자신의 몸과 주변을 깨끗이 한다.<br>몸에 좋은 음식에 관심을 가지고 바른 태도로 즐겁게 먹는다.<br>하루 일과에서 적당한 휴식을 취한다.<br>질병을 예방하는 방법을 알고 실천한다. |
| 안전하게 생활하기 | 일상에서 안전하게 놀이하고 생활한다.<br>TV, 컴퓨터, 스마트폰 등을 바르게 사용한다.<br>교통안전 규칙을 지킨다.<br>안전사고, 화재, 재난, 학대, 유괴 등에 대처하는 방법을 경험한다. |

## 유아 운동프로그램 구성 시 고려사항

### 1 유아기(초기 아동기)

- ☞ 대근운동놀이 기회를 제공한다.
- ☞ 다중감각에 접근하는 방식을 이용한다.
- ☞ 창의력과 탐구력 극대화를 위해 움직임 경험은 움직임 탐색과 문제해결 활동에 중점을 둔다.
- ☞ 건강한 자기 개념 형성에 도움이 되는 움직임 교육 프로그램을 활용한다.
- ☞ 실패에 대한 두려움을 줄이기 위해 긍정적 강화를 많이 포함시킨다.
- ☞ 이동성 · 조작성 · 안정성과 관련된 기본적인 능력을 발달시킨다.
- ☞ 간단한 능력에서 복잡한 능력으로 진행시키는 데 중점을 둔다.
- ☞ 남아와 여아의 관심과 능력이 비슷하기 때문에 분리 활동을 할 필요 없다.
- ☞ 지각-운동기능 향상을 위한 활동을 제공한다.
- ☞ 물체의 조작, 눈과 손의 협응성에 필요한 다양한 활동을 제공한다.
- ☞ 팔·어깨·상체를 모두 움직이는 활동을 많이 한다.
- ☞ 여러 가지 기본적 움직임을 정확하게 실행할 수 있게 한다.
- ☞ 협응성을 강조하되, 속도 및 민첩성과 연계시키지 않는다.
- ☞ 개인차에 대비하고, 자신의 속도에 스스로 맞추어 진행할 수 있게 한다.
- ☞ 준수할 수 있는 행동기준을 마련한다.
- ☞ 발달을 위한 움직임 프로그램은 각 개인의 발달 수준을 토대로 구성한다.
- ☞ 단측성 움직임(예 : 호핑 스텝)이 어느 정도 완성되면 양측성 움직임(예 : 갤로핑 스텝, 스키핑 스텝)과 횡단측성 움직임들의 통합을 시작한다.

### 2 후기 아동기

- ☞ 대근육 발달에서 소근육 발달을 고려한다.

- ☞ 기본 움직임 단계에서는 이동성·조작성·안전성에 관련된 움직임을 발달시킬 수 있게 한다.
- ☞ 기본 움직임 단계에서는 협응력이 발달되는 중요한 시기이므로 다양한 움직임을 경험케 하여야 전문화된 움직임 단계로 전환할 수 있다.
- ☞ 성인으로부터 격려와 긍정적인 강화를 받을 수 있는 기회를 많이 제공하여 긍정적인 자기 개념을 지속적으로 발달시킨다.
- ☞ 자립심을 촉진하기 위해 많은 책임감이 부여되는 경험들과 접촉하게 한다.
- ☞ 기본 움직임 능력, 창의력, 음악과 리듬의 구성요소에 대한 기초적인 이해를 높여주기 위해 음악과 리듬을 포함한 활동을 제공한다.
- ☞ 학구적 개념과 움직임 활동을 통합하여 비판적 사고의 기술들을 강화시킨다.
- ☞ 옳고그름에 대한 판단력을 높여주기 위해 교대하기, 페어플레이, 속이지 않기, 그 외의 보편적인 가치관 같은 주제가 포함된 놀이 상황을 제시한다.
- ☞ 움직임 기술 수행 시 정확성 · 형식 · 기술을 강조한다.
- ☞ 소집단 활동에 이어 대집단 활동과 팀 스포츠를 경험할 수 있도록 격려해 준다.
- ☞ 협응성 발달을 위해 리듬 활동을 제공한다.

# 필수 및 심화 문제

**필수문제**

**01 다음 중 유아기 운동발달 프로그램 구성의 기본원리가 아닌 것은?**

① 안전성의 원리
② 연계성의 원리
③ 적합성의 원리
④ 일관성의 원리

■ 유아기 운동발달 프로그램 구성의 기본원리는 적합성, 방향성, 특이성, 안전성, 연계성, 다양성이다. 유아의 연령과 성별, 신체적 · 정서적 · 사회적 발달을 연계하여 종합적이고 통합적인 프로그램을 계획해야 한다는 것이 연계성의 원리이다.

**심화문제**

**02 유아기 운동발달 프로그램 구성의 기본원리가 아닌 것은?**

① 적합성의 원리 ② 보편성의 원리
③ 다양성의 원리 ④ 안전성의 원리

■ 보편성의 원리는 없다.

**03 유아기 운동발달 프로그램 구성의 기본원리가 아닌 것은?**

① 적합성 ② 방향성
③ 단순성 ④ 안정성

■ 단순하면 경험할 것도 거의 없다.

**04 유아 운동발달 프로그램 구성의 기본 원리로 옳지 않은 것은?**

① 적합성의 원리 ② 방향성의 원리
③ 자발성의 원리 ④ 연계성의 원리

■ 유아 운동발달 프로그램 구성의 기본 원리는 적합성, 방향성, 특이성, 안전성, 연계성, 다양성의 원리이다.

**05 유아체육 프로그램의 구성방법으로 옳지 않은 것은?**

① 활동적인 유아를 위해 주 3~4회의 운동을 편성한다.
② 흥미를 잃지 않도록 발달수준을 고려하여 구성한다.
③ 운동기능의 향상을 위해 점진적 방법을 적용한다.
④ 체력 향상을 위해 장시간의 고강도 운동을 포함한다.

■ 유아는 틈만 나면 놀아야 한다.

**06 유아체육 프로그램의 운영지침에 대한 설명으로 옳은 것은?**

① 설정한 목표를 반드시 달성하도록 한다.
② 실제 신체활동 참여시간을 늘린다.
③ 일상생활과 관련된 내용을 프로그램에 포함하지 않는다.
④ 기초운동기술 발달만을 강조한다.

■ 유아들은 신체활동을 함으로써 발달하기 때문에 실제 신체활동 참여시간을 늘려야 한다.

정답 01 : ④, 02 : ②, 03 : ③, 04 : ③, 05 : ④, 06 : ②

## 07 유아체육 프로그램으로 적절하지 못한 것은?

① 운동빈도 : 주당 2~3회
② 운동시간 : 1회 운동 시 20~40분 이내
③ 운동강도 : 여러 가지 운동을 해보았다는 경험 위주로
④ 운동형태 : 기본운동, 지각운동, 체력운동을 골고루 섞어서

■ 유아체육 프로그램은 운동빈도가 높을수록 좋다.

## 08 유아 운동프로그램의 구성방법으로 적절하지 않은 것은?

① 체력을 고려한 신체활동으로 구성한다.
② 연령과 운동발달 수준을 고려한 신체활동으로 구성한다.
③ 눈과 손의 협응력 향상에 필요한 다양한 활동을 포함한다.
④ 남아와 여아의 흥미가 다르기 때문에 분리활동이 필요하다.

■ 유아 운동프로그램을 구성할 때 남아와 여아를 분리해서는 안 된다.

## 09 유아의 지적 능력과 더불어 운동능력 발달에 영향을 미치는 2가지 요소는?

① 성숙과 경험 ② 정서와 관계
③ 규칙과 전략 ④ 웃음과 즐거움

■ 유아의 운동발달에는 지적 능력과 함께 성숙과 경험도 영향을 미친다.

**필수문제**

## 10 유아기의 운동프로그램 구성을 위해 고려해야 할 사항으로 적절하지 않은 것은?

① 다양한 기본움직임 경험보다 복합적이고 정교한 동작수행에 중점을 두어 구성한다.
② 협응성 운동 시, 속도나 민첩성의 요소가 연계되지 않도록 한다.
③ 운동수행의 성공 빈도를 높일 수 있도록 프로그램을 구성한다.
④ 간단한 움직임에서 복잡한 움직임으로 진행되도록 구성한다.

■ 유아의 운동프로그램은 어떤 운동을 세련되고 힘차고 빠르게 하는 것이 목적이 아니고, 가급적이면 많은 종류의 운동을 폭넓게 경험할 수 있도록 구성해야 한다.

**심화문제**

## 11 발달단계에 따른 유소년체육 프로그램 구성 시, 고려해야 할 사항으로 적절하지 않은 것은?

① 대근육에서 소근육으로의 발달단계를 고려하여 구성한다.
② 기본움직임 단계에서는 다양한 안정성, 이동 및 조작 움직임을 습득하도록 구성한다.
③ 기본움직임 단계는 협응력이 발달되는 중요한 시기이므로, 다양한 움직임 경험을 갖도록 구성한다.
④ 기본움직임에서 전문화된 움직임으로의 전환(transition)단계에서는 움직임 수행의 형태, 기술, 정확성과 더불어 양적 측면을 강조하여 구성한다.

■ 기본움직임에서 전문화된 움직임으로 전환할 때에는 움직임 수행의 형태 · 기술 · 정확성과 더불어 질적 측면을 강조하여야 한다.

정답 07 : ①, 08 : ④, 09 : ①, 10 : ①, 11 : ④

**필수문제**

## 12 보기에서 유소년의 전문화된 운동기술 연습 시, 인지단계(cognitive stage)의 지도전략에 해당하는 것으로 가장 적절한 것은?

보기
㉠ 스스로 자신의 운동수행을 평가할 기회를 제공한다.
㉡ 복잡한 운동기술은 여러 단계로 구분하여 지도한다.
㉢ 운동의 목적과 요구되는 기술을 명확히 설명해준다.
㉣ 다양한 기술과 연계지어 동작의 형태를 바꾸는 전략을 찾게 한다.

① ㉡, ㉢ ② ㉠, ㉣ ③ ㉡, ㉣ ④ ㉠, ㉢

■ **인지단계** : 기술습득의 첫 단계. 한 사람이 어떤 기술의 여러 부분들을 서술적 규칙의 집합으로 부호화하는 단계.
인지단계에서는 복잡한 운동기술을 발달 수준에 맞춰 여러 단계로 구분하여 지도해야 하며, 운동의 목적과 운동기술을 명확하게 설명해 주어야 한다.
■ ㉠ 운동수행의 평가는 교사나 지도자가 한다.
■ ㉣ 앞서 수행한 활동과 연계하여 동작이 반복되도록 구성해야 한다.

**필수문제**

## 13 보기의 ㉠~㉢에 해당하는 지각운동의 요소로 바르게 연결된 것은?

보기

| 요소 | 활동 |
|---|---|
| ㉠ | 몸을 구부려 훌라후프 통과하기 |
| ㉡ | 박수 소리에 맞추어 리듬감 있게 점프하기 |
| ㉢ | 신호에 따라 오른쪽으로 회전하기 |

| | ㉠ | ㉡ | ㉢ |
|---|---|---|---|
| ① | 공간 | 시간 | 방향 |
| ② | 관계 | 시간 | 신체 |
| ③ | 관계 | 방향 | 공간 |
| ④ | 공간 | 방향 | 관계 |

■ **공간지각** : 공간 안에서 자기 몸의 위치·모양·신체 각 부위 간의 관계 등을 구별하는 능력
■ **시간지각** : 동작 속도와 리듬을 구별하는 능력
■ **방향지각** : 방향과 좌우를 구별하는 능력

**심화문제**

## 14 보기의 ㉠, ㉡에 들어갈 유아체육 프로그램의 구성원리로 바르게 묶인 것은?

보기
» ( ㉠ ) 자신의 운동능력을 과대평가하는 경우 안전에 주의하도록 한다.
» ( ㉡ ) 동일 연령의 유아라도 발육발달의 개인차를 프로그램에 반영한다.

| | ㉠ | ㉡ | | ㉠ | ㉡ |
|---|---|---|---|---|---|
| ① | 안전성 | 다양성 | ② | 안전성 | 적합성 |
| ③ | 적합성 | 다양성 | ④ | 적합성 | 주도성 |

■ **안전성의 원리** : 유아들은 호기심이 강하고 주의력·집중력이 부족할 뿐만 아니라 자신의 운동능력을 과대평가하는 경향이 있으므로 안전에 주의시켜야 한다.
■ **적합성의 원리** : 아이들은 발육발달의 개인차가 있는 것을 고려하여 프로그램을 구성해야 한다.

정답 12 : ①, 13 : ①, 14 : ②

## 15 보기의 ㉠, ㉡에 들어갈 유아체육 프로그램의 구성 원리는?

보기

| | |
|---|---|
| ( ㉠ ) | » 연령에 따른 민감기를 고려하여 적절한 운동이 적용되면 운동발달에 효과적이다.<br>» 신체활동의 경험, 기술 및 발달 수준, 체력을 고려한 프로그램 구성이 필요하다. |
| ( ㉡ ) | » 운동발달 프로그램을 구성할 때 개개인의 유전과 환경요인이 반영된 개인차를 고려하여 구성한다. |

| | ㉠ | ㉡ | | ㉠ | ㉡ |
|---|---|---|---|---|---|
| ① | 연계성 원리 | 특이성 원리 | ② | 연계성 원리 | 적합성 원리 |
| ③ | 적합성 원리 | 특이성 원리 | ④ | 적합성 원리 | 연계성 원리 |

■ 유아기 운동발달 프로그램 구성의 기본 원리(p. 54) 참조

**필수문제**

## 16 유아체육 프로그램의 구성 절차로 옳은 것은?

① 자료수집→프로그램작성→적용대상선정→프로그램지도→프로그램평가→피드백
② 자료수집→프로그램작성→적용대상선정→프로그램평가→프로그램지도→피드백
③ 자료수집→적용대상선정→프로그램작성→프로그램평가→프로그램지도→피드백
④ 자료수집→적용대상선정→프로그램작성→프로그램지도→프로그램평가→피드백

■ 대상을 알아야 프로그램을 작성할 수 있고, 지도를 해야 그 결과를 평가할 것이 아닌가?

**필수문제**

## 17 적합성의 원리를 고려해서 연령에 맞는 운동프로그램을 설명한 것이다. 잘못된 것은?

① 0~2세 : 영양분을 섭취하기 위한 운동프로그램
② 2~3세 : 사지를 발달시키기 위한 운동프로그램(엄마와 함께)
③ 3~4세 : 자립심을 키울 수 있는 운동프로그램(혼자)
④ 5~6세 : 또래와의 사교 및 학습능력을 향상시키기 위한 운동프로그램(놀이를 이용)

■ 0~2세의 영아는 특별한 운동프로그램이 필요하지 않고, 엄마와 접촉하고 여러 가지 환경 자극에 노출되는 경험이 중요하다.

정답 15 : ③, 16 : ④, 17 : ①

**심화문제**

**18 보기에서 설명하는 원리는?**

> 보기
> » 유아체육 프로그램은 유아들을 위한 발달적이고, 적절한 활동들을 고려해야 한다.
> » 각각의 발달상태, 움직임 활동에 대한 이전의 경험, 기술, 수준, 체력, 연령 등을 고려해야 한다.

① 연계성의 원리　② 안전성의 원리
③ 적합성의 원리　④ 다양성의 원리

■ 유아기 운동발달 프로그램 구성의 기본원리(pp. 54~55) 참조.

**19 유아기 운동발달 프로그램 구성의 기본원리 중에서 '적합성의 원리'에 대한 설명이다. 옳지 않은 것은?**

① 인간이나 동물의 발달과정에서 특정능력을 발달시킬 수 있도록 준비가 잘 이루어지는 시기를 민감기 또는 최적기라고 한다.
② 민감기를 놓치면 같은 환경에서 같은 자극을 주어도 최적의 발달을 기대하기 어렵다.
③ 그러므로 유아가 어떤 운동기능의 민감기에 있는지 알고, 그 운동기능을 발달시키기에 적합한 운동 프로그램을 시행해야 한다는 원리이다.
④ 유아마다 발육발달의 정도와 민감기에는 차이가 없다.

■ 유전인자, 환경, 움직임의 경험 등에 따라 민감기에는 차이가 있다.

**필수문제**

**20 유아기 운동발달 프로그램 구성의 기본원리 중에서 '방향성의 원리'에 대한 설명이다. 잘못된 것은?**

① 인간의 성장과 발달은 일련의 방향성을 가지고 발달한다.
② 머리에서 꼬리(두미)의 법칙과 중심에서 말초의 원리가 있다.
③ 대근육에서 소근육으로 발달한다.
④ 한 쪽에서 양 쪽으로 발달한다.

■ 양 쪽에서 한 쪽으로 발달한다.

정답 18 : ③, 19 : ④, 20 : ④

**필수문제**

**21 유아기 운동발달 프로그램 구성의 기본원리 중에서 '특이성의 원리'에 대한 설명이다. 틀린 것은?**

① '특정 운동발달 프로그램은 특정 운동기능만 발달시킨다.'는 원리이다.
② 유아의 발달은 모든 유아에게 공통적으로 나타나는 특성과 개인마다 다르게 나타나는 개인차가 있으므로 두 가지를 모두 고려해서 운동 프로그램을 구성해야 한다는 원리이다.
③ 유아들의 운동능력에 개인차가 현저하게 나타나는 원인에는 연령차이, 체력차이, 성별의 차이, 운동소질 및 적성의 차이 등이 있다.
④ 수업을 하는 과정에서는 유아의 자발성과 창의성을 존중하고, 유아의 움직임이나 반응에 유의하여 임기응변적으로 변경할 수 있는 탄력성이 필요하다.

■ ①은 성인의 체력운동에서 말하는 특이성의 원리이다.

**심화문제**

**22 유아기의 운동발달 프로그램을 구성할 때에는 전형적이고 공통적인 일반화 특성뿐만 아니라 개인차를 고려해야 한다는 것은?**

① 적합성의 원리 ② 안전성의 원리
③ 특이성의 원리 ④ 방향성의 원리

■ 유아 운동 프로그램을 구성할 때 개개인의 발달 차이를 고려해야 한다는 것이 특이성의 원리이다.

**23 보기에서 유아체육 프로그램 구성 원리 중 특이성에 해당하는 내용으로 묶인 것은?**

| 보기 |
|---|
| ㉠ 체력 향상의 다양한 측면보다 일부분만 고려한다.<br>㉡ 유아의 유전과 환경요인을 고려한 개인차를 반영한다.<br>㉢ 프로그램 특성의 변화와 순서를 조직적으로 연계한다.<br>㉣ 유아의 자발성이나 창의성을 고려하여 계획한다. |

① ㉠, ㉡ ② ㉡, ㉢ ③ ㉡, ㉣ ④ ㉠, ㉣

■ ㉡은 개인차를 고려하는 원리, ㉣은 창의성이라고 할 수도 있지만 유아니까 특이성이 더 맞다.

**24 유아발달 프로그램의 기본 원리 중 특이성의 원리에 해당하는 것은?**

① 체력 향상의 다양한 측면보다 극히 일부분만 관여
② 개개인의 유전과 환경요인을 고려한 개인차를 반영
③ 체력의 구성요소들을 발달시키기 위해서는 단일 종목의 운동을 반복적으로 연습
④ 흥미를 잃지 않도록 프로그램을 구성

■ 특이성의 원리 : 발달에는 개인차가 있으므로 개개인의 발달 차이를 고려해야 한다는 것

정답 21 : ①, 22 : ③, 23 : ③, 24 : ②

필수문제

**25 보기에서 설명하는 유아체육 프로그램의 기본원리는?**

보기
» 신체조정능력과 판단력이 완전히 발달되지 않은 유아에게 우선적으로 고려해야 할 원리이다.
» 자신의 능력을 과대평가하는 아동의 성향을 고려한 운동환경을 마련한다.
» 우발적 사고에 대한 부모나 지도자의 올바른 인식이 중요하다.

① 연계성의 원리 ② 방향성의 원리
③ 안전성의 원리 ④ 주도성의 원리

■ 아동들은 호기심이 강하지만 주의력과 조심성이 떨어지고, 자신의 능력을 과대평가하는 성향이 있으므로 안전성에 주의하여 프로그램을 수립해야 한다.

심화문제

**26 기본운동 능력을 발달시키기 위한 운동 프로그램의 구성요소가 아닌 것은?**

① 안정성 운동 : 균형운동이라고도 하고, 자리를 이동하지 않는 상태에서 이루어지는 운동이다.
② 이동운동 : 수평이동과 수직이동을 모두 포함하고, 기초적인 이동운동과 복합적인 이동운동으로 나눈다.
③ 조작운동 : 손이나 발을 사용하여 물체에 힘을 가하거나 물체로부터 힘을 받아 움직이는 것이다.
④ 회전운동 : 축을 중심으로 움직이는 것으로 굽히기, 비틀기, 돌기, 흔들기 등이 있다.

■ 회전운동은 안정성 운동의 하나이다.

필수문제

**27 보기에서 제시하는 유아체육 프로그램 개발의 기본 원리로 가장 적절한 것은?**

보기
» 신체적, 사회적, 정서적 발달을 함께 고려한다.
» 발육발달과 운동기술발달의 수준을 동시에 고려한다.
» 쉬운 과제에서 어려운 과제의 순서로 구성한다.

① 안전성 원리 ② 방향성 원리
③ 복잡성 원리 ④ 연계성 원리

■ 연계성의 원리 (p.55) 참조.

정답 25 : ③, 26 : ④, 27 : ④

**필수문제**

**28** **유아기 운동발달 프로그램 구성의 기본원리 중에서 '다양성의 원리'에 대한 설명이 다. 옳지 못한 것은?**

① 유아는 발육발달이 시작되는 단계이므로 다양한 경험이 가능하도록 프로그램을 구성해야 한다.

② 한 부위 또는 한 가지 기능을 발달시키기 위해서 집중적으로 운동을 시키는 프로그램이 중요하다.

③ 유아는 집중력이 떨어지고 쉽게 흥미를 잃으므로 재미있고 복합적인 운동 프로그램을 구성하는 것이 좋다.

④ 유아들이 자신들의 능력을 최대한 활용할 수 있도록 이끌어주어야 한다.

■ 다양성의 원리는 집중적으로 운동을 시키는 것이 아니라, 다양한 운동을 해야 하는 것이다.

**필수문제**

**29** **유아체육 프로그램을 계획할 때 반드시 고려해야 할 사항이 아닌 것은?**

① 유아의 발달 상태와 발달 과정에 따라 다른 운동 프로그램을 계획해야 한다.

② 유아의 운동발달 요소들을 충분히 반영한 운동 프로그램을 계획해야 한다.

③ 프로그램 계획서를 먼저 작성해야 하고, 계획안에는 프로그램의 목적이 구체화되어 있어야 한다.

④ 유아의 부모나 친척이 원하는 것을 반드시 포함시켜서 계획해야 한다.

■ 부모가 원하는 것을 다 해줄 수 있겠는가?

**심화문제**

**30** **아동의 신체적 유능감 향상을 위한 지도전략으로 적절하지 않은 것은?**

① 운동기술 수준에 맞는 도전적인 프로그램을 제공한다.

② 흥미를 위해 경쟁적인 프로그램을 제공한다.

③ 무조건적인 칭찬이 아닌 노력에 연계된 격려를 제공한다.

④ 개개인의 발달 수준을 고려한 개별화 프로그램을 제공한다.

■ 흥미를 끌기 위한 경쟁적인 프로그램은 적절한 지도전략이 아니다.

**31** **유아운동 프로그램 구성 시 교사의 고려사항이 아닌 것은?**

① 과제를 위한 시간 분배를 가지고 진행을 예측

② 유아의 개인차보다 과제 수행을 우선시함

③ 학습자가 과제를 인식할 수 있도록 어떤 신호나 자극을 줌

④ 과제를 설명할 때 학습자와 의사소통이 될 수 있도록 함

정답 28 : ②, 29 : ④, 30 : ②, 31 : ②

**32** **유아체육 프로그램을 구성할 때 고려해야 할 요소 중에서 가장 덜 중요한 것은?**

① 운동빈도 ② 운동강도 ③ 운동시간 ④ 운동용구

**33** **유아체육을 지도할 때 지도사의 역할수행으로 적절하지 않은 것은?**

① 열정을 보여준다. ② 상과 벌을 함께 제공한다.
③ 유아들의 반응에 관심을 가진다. ④ 지나친 경쟁의식을 갖지 않게 한다.

■ 유아에게 상과 벌을 함께 주면 혼란을 초래하게 된다.

**34** **유아체육 프로그램 구성 시 고려해야 할 사항 중 운동형태를 분류한 것이다. 다른 셋과 어울리지 않는 것은?**

① 체력을 발달시키기 위한 운동
② 기본운동 능력을 발달시키기 위한 운동
③ 이동운동 능력을 발달시키기 위한 운동
④ 지각운동 능력을 발달시키기 위한 운동

■ 안정운동, 이동운동, 조작운동을 합해서 기본운동이라고 한다.

**35** **유아기 운동발달 프로그램의 구성요소가 아닌 것은?**

① 운동 경험 ② 운동 빈도 ③ 운동 강도 ④ 운동 시간

■ 운동경험을 다양하게 하려고 유아운동을 한다(목적이다).

**필수문제**

**36** **운동발달에 대한 검사와 평가에 관한 설명으로 적절하지 않은 것은?**

① 운동발달 검사는 전반적인 운동발달 상황을 확인할 수 있는 유용하고 객관적인 지표를 제공한다.
② 평가는 내용에 따라 규준지향 평가와 준거지향 평가로 나뉘고, 기준에 따라 결과지향 평가와 과정지향 평가로 나뉜다.
③ 평가 결과는 특정 기술수행에서 결여된 부분을 확인하고 그 원인을 파악해 프로그램의 구체적인 목표를 설정할 수 있게 한다.
④ 대근운동발달검사(Test of Gross Motor Development)는 만 3~10세 아동을 대상으로 한 이동 및 조작 운동기술에 대한 검사도구이다.

■ ② 평가는 기준에 따라 규준지향 평가와 준거지향 평가로 나뉜다.

정답 32 : ④, 33 : ②, 34 : ③, 35 : ①, 36 : ②

▪관계지각운동 : 누구와 어떤 동작을 함께 하느냐가 관련된 지각 형태.
▪공간지각운동 : 신체가 움직이는 방향과 대상의 위치, 대상의 방향 · 속도 등과 관련된 지각 형태.
▪환경지각운동 : 주위 환경을 얼마나 지각하며 운동하는가에 따른 지각 형태.
▪시간지각운동 : 시간감각을 이해하고 지각운동을 실시하는 형태(예 : 음악에 맞추어 운동하기, 다양한 속도로 날아오는 공 받기 등).

**필수문제**

**37 보기를 가장 잘 설명하는 지각운동은?**

보기
» 음악에 맞추어 동작을 학습한다.
» 다양한 속도로 날아오는 공을 받는다.
» 악기의 연주 빠르기에 따라 다양한 속도로 이동기술을 연습한다.

① 관계지각운동 ② 공간지각운동
③ 시간지각운동 ④ 환경지각운동

**필수문제**

**38 보기의 ㉠, ㉡에 들어갈 가장 적절한 용어로만 나열된 것은?**

보기
» 유아교육 교사 : 유아는 다양한 기본움직임 기술이나 기초체력 향상에 관한 활동을 스스로 익히기 어렵습니다. 유아가 이와 같은 요소들을 자연스럽게 익히려면 어떻게 해야 할까요?
» 스포츠지도사 : 네. 유아는 징검다리 걷기, 네발로 걷기 등의 놀이 중심 신체활동 프로그램을 통해 기본움직임기술과 기초체력 요소를 향상시킬 수 있어요.

| 구분 | 징검다리 걷기 | 네발로 걷기 |
|---|---|---|
| 기본움직임기술 요소 | ( ㉠ ) 운동 | 이동 운동 |
| 기초체력 요소 | 평형성 | ( ㉡ ) |

| | ㉠ | ㉡ |
|---|---|---|
| ① | 안정성 | 민첩성 |
| ② | 안정성 | 근력/근지구력 |
| ③ | 조작 | 근력/근지구력 |
| ④ | 조작 | 민첩성 |

▪기본움직임기술 요소
· 안정성 운동기술 : 징검다리 걷기(평균대 걷기)와 같이 움직일 때 무게중심을 바꿈으로써 균형적인 요소를 강조한다.
· 이동운동 기술 : 네발로 걷기(기어오르기)와 같이 공간에서 신체를 이동하는 기술로, 근력과 근지구력을 기른다.
· 조작운동 기술 : 도구를 이용하여 움직이는 능력을 기른다.
▪기초체력 요소: 민첩성, 순발력, 근력, 근지구력, 유연성, 평형성 등과 같은 행동체력 요소이다.

**심화문제**

**39 유아의 운동기술 중에서 안정성 운동기술에 속하지 않는 것은?**

① 목 가누기 ② 뒤집기
③ 서기 ④ 기기

▪기기는 이동성 운동기술이다.

정답 37 : ③, 38 : ②, 39 : ④

## 40 안정성 운동기술에 관한 설명으로 옳지 않은 것은?

① 정적, 동적, 축성 안정성으로 구분한다.
② 구르기(rolling)는 동적 안정성과 관련이 있다.
③ 재빨리 피하기(dodging)는 동적 안정성과 관련이 있다.
④ 몸통 앞으로 굽히기(bending)는 정적 안정성과 관련이 있다.

■ 안정성 운동은 축성, 정적, 동적 운동으로 구분함.
■ 동적 안정성 운동 : 구르기, 멈추기, 피하기, 돌기 등
■ 굽히기는 축성 안정성 운동이다.

## 41 유아체육 수업의 환경 구성에 대한 설명으로 옳지 않은 것은?

① 흥미유발을 위해 다양한 교구를 사용한다.
② 대근운동 시 충격 흡수를 위한 안전매트를 깔아준다.
③ 안전을 위해 가능한 좁고 한정된 공간을 확보한다.
④ 필요하면 음향시설을 활용할 수 있다.

■ 유아체육 지도 시 안전을 위해 넓고 일정 부분 이상의 공간이 확보되어야 한다.

## 42 보기는 어떤 지각에 대한 설명인가?

» 자기 공간과 다른 사람의 공간을 존중하는 인식
» 공간에서 안전하게 움직이기
» 움직임의 범위를 조절하는 방법 익히기

① 시간지각 ② 신체지각
③ 방향지각 ④ 공간지각

■ 공간 안에서 자신의 신체 위치를 인식하는 능력과 공간의 거리·높이를 구별하는 능력이 공간지각능력이다.

## 43 지각 운동능력을 발달시키기 위한 운동 프로그램의 구성요소에 대한 설명이다. 틀린 것은?

① 시간 지각 : 오전/오후/밤, 소리/리듬에 맞추어서 등
② 관계 지각 : 너/나, 친구/적 등
③ 움직임의 질 : 정적/동적 균형, 속도의 증가/감소, 움직임을 부드럽게 등
④ 신체 지각 : 신체 각 부위의 위치와 모양 이해하기, 신체로 표현하기 등

■ 관계지각은 사물이나 다른 사람과의 관계가 가까이/멀리, 위/아래, 주변에/나란히 등을 말한다.

## 44 보기의 밑줄친 ㉠과 관련 깊은 지각운동의 유형은?

보기
지도사 : 오늘은 잡기 놀이를 해볼까요? 술래 친구가 정해지면 술래를 피해 달아나 보세요. 술래를 잘 피하려면 어떻게 해야 할까요?
유 아 : 술래에게 안 잡히려고 빨리 도망가야 해요!!
지도사 : 네! 맞았어요. <u>㉠ 술래가 움직이는 걸 보고 술래의 앞쪽이나 뒤쪽, 술래의 왼쪽이나 오른쪽으로 가면 잡히지 않고 도망갈 수 있어요.</u> 그럼 우리 모두 한번 해볼까요?
유 아 : 네!

① 시간지각 ② 관계지각
③ 방향지각 ④ 신체지각

■ 방향지각 : 앞뒤와 좌우, 측면을 구별하는 능력

정답 40 : ④, 41 : ③, 42 : ④, 43 : ②, 44 : ③

## 45 운동과제에서 요구하는 힘을 만들거나 수정할 수 있는 능력은?

■ 과제에 알맞은 힘을 사용해야 움직임의 질이 좋아진다.

① 방향지각 ② 공간지각
③ 움직임의 질 ④ 관계지각

## 46 기본 운동발달 중 안정성(stability) 향상 프로그램이 아닌 것은?

■ 슬라이딩은 이동운동 프로그램이다.

① 굽히기 ② 직립균형
③ 슬라이딩 ④ 늘리기

## 47 지각운동발달 프로그램 구성 요소에 포함되지 않는 것은?

① 신체지각 ② 공간지각
③ 관계지각 ④ 객관지각

■ 객관지각은 없다.

## 48 다음 활동 중 유아의 공간인지 능력을 발달시키는 활동으로 적합한 것은?

■ 공간 안에서 자신의 신체 위치를 인식하는 능력과 공간의 거리·높이를 구별하는 능력이 공간지각능력이다.

① 신체를 '점점 높게, 점점 낮게, 앞, 뒤, 위, 아래'로 움직임
② 빠르거나 느리게 걷거나 뛰어 봄
③ 팔을 강하게 또는 약하게 위에서 아래로 당김
④ 몸을 부드럽게 흔들어봄

**필수문제**

## 49 안정성(stability) 운동기술 중 축성(axial) 움직임만으로 나열된 것은?

■ **축 이용 기술** : 굽히기, 늘리기, 비틀기, 돌기, 흔들기
■ **정적 및 동적 운동 프로그램** : 구르기, 거꾸로 균형

① 구르기(rolling), 늘리기(stretching), 흔들기(swinging)
② 늘리기(stretching), 비틀기(twisting), 흔들기(swinging)
③ 구르기(rolling), 비틀기(twisting), 거꾸로 균형(inversed balance)
④ 비틀기(twisting), 흔들기(swinging), 거꾸로 균형(inversed balance)

**심화문제**

## 50 안정운동에서 축 이용 기술이 아닌 것은?

■ 던지기는 조작운동이다.

① 굽히기(bending) ② 늘리기(stretching)
③ 던지기(throwing) ④ 비틀기(twisting)

정답 45 : ③, 46 : ③, 47 : ④, 48 : ①, 49 : ②, 50 : ③

필수문제

## 51 보기의 괄호 안에 들어갈 알맞은 용어는?

보기
(　　　　　　)은 날아오거나 굴러오는 물체에 힘을 가해서 정지시키거나 속도를 줄이는 운동으로 잡기, 받기, 볼 멈추기 운동 등이 포함된다.

① 정적(static) 안정성 운동　② 추진(propulsive) 조작 운동
③ 흡수(absorptive) 조작 운동　④ 동적(dynamic) 안정성 운동

■ **흡수조작 운동** : 움직이는 물체의 힘을 흡수(잡기, 받기, 볼 멈추기 등)하는 운동

심화문제

## 52 뻗기, 쥐기, 놓기와 같은 기본적인 손기술을 익히고 제어하는 능력은?

① 조작성　② 이동성　③ 안정성　④ 평형성

■ 손기술은 조작기술이다.

## 53 유아의 조작성 운동기술에 대한 설명이다. 옳지 못한 것은?

① 상대를 속이는 운동기술이다.
② 물체에 힘을 가하거나 물체로부터 힘을 받는 운동기술이다.
③ 물체를 조작하는 운동기술이다.
④ (손)뻗기, 잡기, 놓기, 던지기, 차기, 치기 등이 조작성 운동기술이다.

■ 유아가 상대를 속일 수 있을까?

필수문제

## 54 2~3세 유아에 적합한 체육프로그램의 고려사항으로 옳지 않은 것은?

① 성별의 차이는 고려하지 않는다.
② 협응성을 강조하면서 속도 및 민첩성을 연계한다.
③ 발육발달 상태를 평가한다.
④ 놀이방법을 이해할 수 있는지를 확인한다.

■ 2~3세 유아에게 체육 프로그램을 구성할 때는 성별을 고려하지 않고, 발달상태를 평가해야 하며, 놀이방법의 이해 여부를 확인해야 한다. 그러나 협응성 · 속도 · 민첩성을 연계하기는 어려운 시기이다.

필수문제

## 55 유아의 체력 요인과 검사 방법으로 적절한 것은?

① 순발력 : 모둠발로 멀리 뛴 거리의 측정
② 근지구력 : 왕복달리기(2m) 시간의 측정
③ 평형성 : 1분 간 앉았다 일어나기 동작 횟수의 측정
④ 민첩성 : 평균대 위에서 한 발로 서 있는 시간의 측정

■ **순발력** : 순간적으로 낼 수 있는 힘의 능력. 제자리 멀리뛰기로 측정.
■ **근지구력** : 오래 달리거나 오래 동안 움직일 수 있는 능력. 매달리기 등으로 측정.
■ **평형성** : 몸을 움직일 때 밸런스를 맞추는 것. 눈감고 한 발 서기 등으로 측정.
■ **민첩성** : 빠르게 방향을 바꾸거나 멈추는 것. 10m왕복달리기 등으로 측정.

정답　51 : ③, 52 : ①, 53 : ①, 54 : ②, 55 : ①

**심화문제**

■근지구력은 오래 달리거나 오래 움직일 수 있는 능력이다. 스키핑 동작으로 뛴 높이를 측정하는 것은 점프력 테스트인데, 강력한 순발력·도약성·유연성·조정력이 요구된다.

**56 유아의 체력 요소 검사 방법으로 적절하지 않은 것은?**

① 근지구력 – 스키핑 동작으로 뛴 높이를 측정한다.
② 순발력 – 모둠발로 멀리 뛴 거리를 측정한다.
③ 균형성 – 평균대 위에서 외발로 서 있는 시간을 측정한다.
④ 민첩성 – 7m 거리를 왕복하여 달린 시간을 측정한다.

■아동들의 근지구력은 잘 측정하지 않지만, 윗몸일으키기로 측정하는 경우도 가끔 있다. 5m 왕복달리기는 민첩성 측정이다.

**57 아동의 체력요인과 검사방법이 바르게 연결되지 않은 것은?**

① 순발력 – 제자리 멀리뛰기
② 평형성 – 평균대 위에서 외발서기
③ 근지구력 – 5m 왕복달리기
④ 유연성 – 앉아서 몸 앞으로 굽히기(좌전굴)

■ⓛ의 유연성은 건강관련 체력요소이고, ⓔ은 민첩성이 아니고 지구력이다.

**58 보기에서 운동기술체력 요소와 운동능력이 적절한 것으로 바르게 묶인 것은?**

| 보기 |
|---|
| ㉠ 협응력–상대방에게 공을 던지고 받는 능력 |
| ㉡ 유연성–무릎을 펴고 몸을 앞으로 굽히는 능력 |
| ㉢ 순발력–제자리에서 모둠발로 점프하여 멀리 뛰는 능력 |
| ㉣ 민첩성–오래달리기를 하며 속도를 오랫동안 유시하는 능력 |

① ㉠, ㉡ ② ㉡, ㉣ ③ ㉠, ㉢ ④ ㉢, ㉣

**59 유아의 체력요소와 측정방법이 바르게 연결된 것은?**

① 유연성–앉아서 윗몸 앞으로 굽히기
② 평형성–제자리멀리뛰기
③ 순발력–몸 지탱하기
④ 민첩성–평균대 위에서 외발서기

■속도는 건강관련 체력요소가 아니다. 신체구성(비만도)도 건강관련 체력요소에 포함된다.

**60 다음 중 건강관련 체력요소가 아닌 것은?**

① 속도 ② 유연성
③ 근지구력 ④ 신체구성

■짧은 시간에 폭발적으로 힘을 내는 것은 순발력이다.

**61 제자리멀리뛰기로 측정할 수 있는 체력요소는?**

① 민첩성 ② 순발력
③ 평형성 ④ 근력

정답 56 : ①, 57 : ③, 58 : ③, 59 : ①, 60 : ①, 61 : ②

**필수문제**

## 62 누리과정(2019)에서 '신체운동·건강 영역'의 내용범주가 아닌 것은?

① 신체활동 즐기기
② 건강하게 생활하기
③ 안전하게 생활하기
④ 창의적으로 표현하기

■ 2019개정 누리과정에서 신체활동·건강 영역의 범주는 신체활동 즐기기, 건강하게 생활하기, 안전하게 생활하기이다.

**심화문제**

## 63 누리과정에서 유아의 신체활동 영역의 목표로 명시한 것이 아닌 것은?

① 기초적인 운동기술을 향상시킨다.
② 기본적인 감각능력을 키우고, 자신의 신체를 긍정적으로 인식한다.
③ 신체를 조절하고, 기본 운동능력을 기른다.
④ 신체활동에 즐겁게 참여한다.

■ 기초적인 운동기술은 대부분의 유아가 거의 자동적으로 배운다.

## 64 유아 운동의 권장사항과 거리가 먼 것은?

① 여러 가지 운동에 흥미를 갖도록 한다.
② 건강한 생활에 필요한 습관과 태도를 습득할 수 있도록 한다.
③ 안전하게 운동하고 생활할 수 있도록 한다.
④ 부모가 지도해야 한다.

■ 어린이교실에 다닐 나이이다.

## 65 유아운동 권장지침으로 옳지 않은 것은?

① 간접적 · 직접적 상황에서 대근육 활동을 할 수 있는 기회의 지속적 제공
② 물체의 조작과 눈과 손의 협응이 자연스럽도록 프로그램 구성
③ 전신을 움직이는 활동보다 세부적 움직임 기술 우선 구성
④ 지각운동 기능이 향상될 수 있도록 특별한 활동 포함

■ 유아에게는 세부적인 움직임 기술보다 전신을 움직이는 활동이 우선되어야 한다.

## 66 누리과정에서 3세 유아의 신체조절능력을 향상시키기 위한 프로그램의 내용으로 적절하지 않은 것은?

① 신체균형을 유지해본다.
② 도구를 활용한 조작운동을 한다.
③ 공간, 힘, 시간 등의 움직임 요소를 경험한다.
④ 신체 각 부분의 움직임을 조절해 본다.

■ 조작운동은 5~6세가 되어야 발달한다.

정답 62 : ④, 63 : ①, 64 : ④, 65 : ③, 66 : ②

**67** 2019 개정 누리과정에서 '신체운동 건강 · 영역'의 세부내용에 대한 설명으로 적절하지 않은 것은?

■2019 개정누리과정(신체운동 · 건강 영역)(p. 59) 참조

① 신체 움직임을 조절한다.
② 경쟁 활동을 통해 스포츠 기술을 습득하고 건강을 증진한다.
③ 신체를 인식하고 움직인다.
④ 기초적인 이동운동, 제자리 운동, 도구를 이용한 운동을 한다.

**68** 3~5세 연령별 누리과정의 지도 원리에서 신체운동 · 건강 영역의 내용범주가 아닌 것은?

■전통놀이는 좀 더 커서 한다.

① 신체인식하기
② 전통놀이 활동하기
③ 안전하게 생활하기
④ 신체조절과 기본운동하기

정답 67 : ②, 68 : ②

# 05 Chapter 유아체육 프로그램의 교수-학습법

## 유아체육의 지도개념

대부분의 사람들이 지도를 가르치는 것이라고 생각한다. 그러나 유아들은 가르쳐서 어떤 틀에 맞도록 끼워 넣는 것이 아니라, 유아들이 잠재적으로 가지고 있는 싹을 찾아내서 길러 꽃피우는 것이다. 그러므로 교사들이 해야할 일은 유아들의 자발성을 촉진하고, 개성이 풍부하고 창조적으로 접근할 수 있는 여건을 마련해주는 것이다.

그러므로 유아체육을 지도하는

☞ 지도자는 유아들에게 무엇을 어떻게 지도할 것인지 지도계획을 수립하는 입안자가 되어야 한다.

☞ 지도자는 지도계획을 실행하는 과정에서는 유아들의 자발성과 창조성을 중요하게 생각하고, 유아들의 자발성과 창조성을 촉발시키려고 노력해야 한다.

☞ 지도자는 지도계획을 입안한 사람이지만 실행단계에서는 유아들의 친구이고 형제자매이며 때로는 조직 전체를 조정하는 사람의 역할을 해야 한다.

## 유아체육의 지도내용

유아체육에서 무엇을 지도할 것인가? 라는 질문에 대한 대답은

☞ 활발한 신체 움직임을 수반하는 놀이를 여러 방면에서 경험할 수 있도록 하는 것이다.

☞ 그러한 놀이를 하는 중에 신체적으로 건전하게 발달할 수 있도록 촉진하는 것이다.

☞ 놀이를 하는 중에 정신적으로 건전하게 발달할 수 있도록 촉진하는 것이다.

☞ 놀이를 하는 과정 중에 친구를 사귀도록 촉진하는 것이다.

## 유아체육의 지도원리

| | |
|---|---|
| 놀이중심의 원리 | 유아의 흥미를 고려하여 지속적으로 운동에 참여하도록 유도한다. |
| 생활중심의 원리 | 일상생활에서의 신체활동 경험을 바탕으로 체육활동을 지도 한다. |
| 개별화의 원리 | 유아 개개인의 운동능력과 발달속도의 차이를 인정하며 지도한다. |
| 탐구학습의 원리 | 유아가 스스로 움직임의 개념을 탐색하고 발견할 수 있도록 지도한다. |
| 반복학습의 원리 | 3가지 기초운동(안정, 이동, 조작)을 반복적으로 지도한다. |
| 융통성의 원리 | 유아가 신체활동 시간을 스스로 결정할 수 있도록 융통성을 주어야 한다. |
| 통합의 원리 | 운동능력이 통합적으로 발달할 수 있도록 지도한다. |

## 유아체육의 교수방법

| | |
|---|---|
| 교사 주도적 교수방법 | 언제, 무엇을, 어떻게 할 것인가를 교사가 정해서 가르치는 방법이다. 전체 학습자가 동시에 학습해야 할 것을 지도하는 데에 효과적이다. |
| 유아 주도적 교수방법 | 학습과정의 주도권을 유아에게 주는 방법이다. 유아 개개인의 능력과 흥미의 차이를 인정하고, 각자의 취향에 따라 운동을 선택하게 하며, 유아 스스로 독창성을 발휘하여 자기발견 학습을 할 수 있게 한다는 장점이 있다. |
| 상호 주도적 교수방법 | 유아의 흥미에 근거한 교수방법과 교사 주도의 교수방법을 균형적으로 연결해주는 방법이다. 도입 단계, 동작습득 단계, 창의적 표현 단계, 평가 단계의 순서로 교수-학습활동이 전개된다. 동작습득 단계에서는 유아들이 체육활동의 기본요소를 탐색하고 기본동작을 연습할 수 있는 기회를 제공하고, 창의적인 표현 단계에서는 동작습득 단계에서 탐색한 여러 가지 동작과 운동능력을 일반화시켜서 표현할 수 있도록 활동을 구성한다. |

## 유아체육의 지도방법

| | |
|---|---|
| 교과과정 | 유아체육에서도 교과과정을 편성해야 한다. 그러나 지도대상인 유아들의 생활이 유동적이어서 예상 밖의 일이 생길 수도 있으므로 유아들의 실태를 파악한 다음 그것을 기본으로 유아체육의 목표를 확실하게 설정하고, 그 목표를 달성하기 위한 대략적인 길을 설정하는 것이 보통이다. 그렇게 하면 이런저런 사정의 변화에 대처할 수 있는 탄력성이 생긴다. |
| 교재의 선택 | 몇 살짜리 유아들에게 어떤 운동을 지도할 것인지 심사숙고한 다음에 적절한 교재를 선택해야 한다. 유치원이나 어린이집에서는 집단으로 지도하는 것이 원칙이므로 운동능력이 우수한 유아와 운동능력이 좋지 못한 유아를 동시에 지도해야만 한다. 이 경우에는 교재 선택의 기준을 70% 수준으로 정하는 것이 좋다. 통계적으로 볼 때 유아들의 운동능력이 정규분포를 한다고 가정하면, 5단계 평가에서 수, 우, 미에 해당되는 유아가 약 68%이고, 양과 가에 해당되는 유아가 약 32%이다. 실제로는 정확하게 68%가 아닐 것이므로 대강 70%로 잡은 것이다. |
| 동기부여 | 유아들의 운동욕구의 방향을 정해서 자발적으로 무엇인가를 하고 싶다는 마음을 갖게 만드는 것이다. |
| 개인차 고려 | 유아들은 개인차가 심하다. 같은 나이라도 약 1년 차이가 나는 유아들이 섞여 있는 경우가 허다하고, 한 사람 한 사람의 유아들은 가정환경이 서로 다르기 때문에 한 사람 한 사람의 유아의 능력을 나름대로 신장시키는 '개인 안에서의 변화'에 주목하는 것이다. |
| 집단 안에서의 지도 | 집단놀이는 혼자 하는 놀이에 비해서 질적으로나 양적으로나 효과가 대단히 크다. 집단으로 무엇을 한다는 것은 유아의 발달에 더할 나위없이 큰 의의가 있으므로 유아들을 지도할 때 잘 활용해야 한다. |
| 단계적 지도 | 유아들의 발달단계와 놀이의 계통단계를 연계시켜서 지도해야 한다. 유아의 운동에서는 "이것을 못하면 다음 것을 할 수 없다."는 공식이 성립되지 않는다. 어떤 운동을 전혀 하지 못하는 데도 다음 운동을 할 수 있는 경우가 많다. 그런 식으로 이 운동 저 운동 하다가 원래 못했던 운동을 해보면 이미 아주 잘할 수 있게 발달되어 있다. 이와 같이 유아들의 운동능력은 나선형으로 발달되기 때문에 어떤 운동을 완전히 마스터한다는 식의 완벽주의는 피해야 한다. |

| | |
|---|---|
| 운동내용 | 유아들의 놀이에는 다양한 내용이 들어 있다. 하나의 운동에 그 운동 고유의 내용이 들어 있는 경우도 있고, 하나의 운동에 여러 가지 내용이 들어 있는 경우도 있다. 그러므로 여러 가지 운동 중에 어떤 운동과 어떤 운동을 조합해서 할 것인가도 생각해봐야 하고, 또 운동내용을 어떻게 편성할 것인지도 고려해야 한다. |
| 놀이의 생활화 | 지도한 놀이가 그때 한 번 하고 끝나버리면 실패다. 지도한 놀이에 유아들이 흥미가 있어서 지도자가 있든 없든 상관없이, 즐겁게, 또 하고 싶어 해야 놀이지도에 성공한 것이다. 이것을 '놀이의 생활화'라고 한다. |
| 놀이의 고도화 | '쉬운 과제에서 어려운 과제로'라는 원리는 전적으로 유아들 자신이 자신의 힘으로 발달과정을 거치지 아니하면 충분히 발달되었다고 말할 수 없다는 뜻이다. 그러므로 더 이상의 발전을 기대할 수 없는 막다른 골목식의 놀이 지도는 의미가 없는 일이다. |
| 실시시간 | 유아는 하루 종일 놀이만 하는 것 같지만 하나하나의 지속시간은 짧고, 활동과 휴식의 경계도 모호하다. 어른들처럼 일 할 때는 일하고 쉴 때는 쉬는 것이 아니라, 짧은 시간 간격으로 활동했다가 쉬기를 반복하는 것이 유아들이다. 그러기 때문에 유치원에서 체육적 놀이를 지도할 때에도 한 가지 놀이에 약 20분씩 3개의 놀이를 조합해서 약 1시간 동안의 체육적 놀이를 지도하는 것이 바람직하다. |
| 시범 | 유아체육 시간에는 이것저것을 말로 설명하고 지시하는 것보다는 교사가 직접 몸으로 표현하는 것이 유아들이 이해하기 쉽다. |

## 유아체육 지도자의 역할

다음은 유아체육 지도자들이 반드시 지켜야 할 임무 또는 역할을 정리한 것이다.

- ☞ 유아들의 발달 수준과 욕구를 정확하게 파악하고 신체활동에 대한 폭 넓은 지식을 수집하여 교육계획을 수립하여야 한다.
- ☞ 유아의 신체 전반에 대한 이해가 선행되어야 유아에게 적당한 운동을 선정할 수 있고, 사고 발생 시 응급처치를 할 수 있다.
- ☞ 교사는 활동내용을 일방적으로 전달하지 말고 유아들과 같은 참여자라는 인식과 태도를 가져야 한다.
- ☞ 유아 개인의 건강에 대한 정보를 미리 수집해두어야 하고, 활동을 진행할 때와 끝낼 때 유아의 건강 상태를 파악하고 적절한 처치를 해야 한다.
- ☞ 유아가 교사를 믿고 심리적으로 의지할 수 있도록 밝은 표정과 다정한 태도로 대해주고, 유아의 능력에 대한 신뢰를 보여주어야 한다.
- ☞ 활동 중에 재미있는 몸동작이나 유머 있는 언어를 사용함으로써 유아가 신체활동 시간을 즐거운 시간이라는 느낌을 갖도록 한다.
- ☞ 유아에게 새로운 활동이나 방법을 제시할 때에는 언어로 지시하기보다는 몸으로 시범을 보여주는 것이 좋다.
- ☞ 유아기에는 신체발달의 개인차가 크기 때문에 같은 운동이라도 능숙하게 해내는 아이도 있고, 시도조차도 하지 못하는 아이도 있다. 이때 교사는 조바심을 내거나 재촉하지 말고 충분히 기다려주고, 다른 방법으로 할 수 있는 기회를 주어야 한다
- ☞ 신제활농은 개인적인 운동능력의 발달뿐 아니라 다른 사람과 협동하여 활동하면서 사회성을 기를 수 있도록 진행되어야 한다.

- ☞ 교사는 유아들이 활동을 시작하기 전에 활동내용의 적절성뿐 아니라 활동하는 공간의 안전성에 대해서 면밀하게 점검해야 한다.
- ☞ 난이도가 있는 활동을 할 때에는 교사가 보조자가 되어서  유아의 부족한 부분을 도와주어야 한다.
- ☞ 교육과정을 다른 활동과 통합적으로 운영해야 한다.
- ☞ 신체활동을 시작하기 전에 유아의 체력과 운동능력을 평가하고 그에 적절한 활동내용을 선정해야 한다.
- ☞ 일정한 주기를 정하여 계속적으로 평가를 해서 그 결과를 다음 계획에 반영해야 한다.
- ☞ 끝마무리는 정리체조와 함께 정리정돈하는 것을 습관화시켜야 한다.

## 유아체육 지도자의 개인적인 자질

- ☞ 신체적 · 정신적으로 건강해야 한다.
- ☞ 성실한 사람이어야 한다.
- ☞ 따뜻한 성품의 소유자여야 한다.

## 유아체육 지도자의 전문적인 자질

- ☞ 유아들의 발달단계와 특성에 대한 전문적인 지식을 갖추어야 한다.
- ☞ 건강과 체육에 대한 전문지식이 있어야 한다.
- ☞ 교육에 대한 전문지식을 알고 있어야 한다.

## 유아체육 지도자의 사회문화적인 자질

- ☞ 생명을 존중하는 자연친화적인 태도를 가진 사람이어야 한다.
- ☞ 사회 구성원 대부분이 공통적으로 가지고 있는 건전한 가치관과 윤리의식을 가지고 있는 사람이어야 한다.

## 유아 운동프로그램 진행 시 안전지도

유아 운동프로그램을 진행할 때에 안전사고를 예방하려면 지도자가 철저하게 준비하고, 세심하게 어린이들을 배려해야 한다. 다음은 운동 전, 중, 후로 나누어서 유의할 점을 설명한 것이다.

### 1 운동 전

- ☞ 유아들이 운동을 시작하기 전에 유아들의 건강상태를 지도자가 꼼꼼하게 확인하여야 한다. 열이나 복통이 있거나, 설사나 기침을 심하게 하거나, 상처 난 곳이 있으면 운동을 시키지 말아야 한다.

☞ 복장상태를 확인해야 한다. 운동화 끈이 풀려 있거나 모자가 바람에 날리면 그것을 잡으려다 안전사고가 일어나는 경우가 많다.

☞ 반드시 준비운동을 시켜야 한다. 짧은 시간 동안이라도 준비운동을 시켜서 호흡순환계통, 근육과 관절계통, 그리고 정신적으로 운동하기에 적합한 상태를 만들어 주어야 한다.

☞ 식사 직후나 직전에는 운동을 피하는 것이 좋다. 그리고 운동 직후에 식사를 하면 체할 가능성이 높기 때문에 피하는 것이 좋다.

### 2 운동 중

☞ 운동을 하는 중에는 유아의 얼굴빛을 잘 살펴봐야 한다. 얼굴이 창백해지거나, 다른 아이들보다 숨이 많이 가빠하면 즉시 운동을 멈추게 해야 한다. 어린이들은 몸이 성숙되지 않았기 때문에 작은 자극에도 큰 손상을 입을 수 있다.

☞ 운동을 하다가 어린이들이 다치는 일이 많다. 작은 상처라도 다시 한 번 생각해봐야 한다. 필요하면 응급처치를 한 다음 부모에게 연락하거나 병원에 데리고 가는 등 후속 조치를 지체 없이 취해야 한다.

☞ 어린이가 지도자가 직접 눈으로 볼 수 있는 범위 내에서 운동을 하도록 해야 한다.

### 3 운동 후

☞ 정리운동을 반드시 한다. 어린이들에게는 스트레칭 같은 정리운동이 필요한 것이 아니라 숨을 고르고 몸이 일상적인 상태로 돌아오는 시간이 필요한 것이다.

☞ 운동이 끝난 다음에는 샤워를 하는 것이 가장 좋지만, 사정이 여의치 못하면 손발과 얼굴만 깨끗이 씻어도 된다.

☞ 어린이들은 빨리 지치므로 운동이 끝나고 손발을 씻은 다음에는 잠깐 동안의 휴식시간을 주는 것이 좋다.

## 유아 운동을 위한 환경조성

유아에게 운동놀이를 지도할 때에는 환경을 어떻게 구성하느냐가 유아의 성장과 발달에 영향을 미치는 것은 물론이고, 교사가 하는 지도활동의 효율도 달라진다.

다음은 유아에게 운동놀이를 지도할 때 고려해야 할 환경조성 요소들을 간추린 것이다.

| | |
|---|---|
| 안전성 | 유아들은 조심성과 주의력이 모자라기 때문에 스스로 자신의 안전을 도모할 수 없다. 그러므로 지도자가 최우선적으로 안전을 고려해야 한다. 설비들을 안전하게 배치하고 지속적으로 관리 · 감독함으로써 유아들을 사고의 위험에서 최대한 보호해야 한다. |
| 편안함 | 온도, 습도, 조명, 환기 등에 신경을 써서 유아들이 편안하게 활동에 몰입할 수 있도록 해야 하고, 교사가 활동하기에도 편리하도록 해야 한다. |
| 공간의 확보 | 유아들이 실내에서 활동할 때 필요한 공간은 1인당 약 1평이고, 실외활동에는 2~3배의 공간이 필요하다. |

| | |
|---|---|
| 소음 | 너무 소음이 심하면 소음을 흡수할 수 있는 방안을 마련해야 하고, 비교적 시끄러운 가운데에 활동이 이루어지는 것끼리 가깝게, 조용한 활동끼리 가깝게 장소를 배정해야 한다. |
| 이동공간 | 수업활동 중에 유아들이 이동하면서 서로 부딪치지 않도록 충분한 이동 공간이 있어야 하고, 너무나 길면서 텅 빈 공간이 있으면 안전사고의 위험이 크다. |

### 유아 운동을 위한 시설설비의 선정원칙

다음은 여러 종류의 놀이시설 또는 설비 중에 무엇을 구비하는 것이 좋을지 결정할 때 고려해야 할 4가지 원칙에 대하여 설명한 것이다.

| | |
|---|---|
| 안전성 | 안전성은 다른 어떤 원칙보다도 가장 우선적으로 고려되어야 한다. |
| 흥미성 | 어린이들의 자발성과 자주성을 기른다는 의미에서도 어린이들의 흥미성을 고려하는 것이 대단히 중요하다. |
| 필요성 | 어떤 일을 어린이가 전혀 흥미가 없어 하더라도 어린이의 발달 측면에서 생각했을 때 어린이에게 꼭 필요한 것이라면 그냥 두어서는 안 된다. |
| 경제성 | 제조사의 편의주의나 이윤추구 때문에 시설이나 설비가 어린이에 맞지 않게 되거나, 경제성에 얽매이면 곤란하다. |

## 화상의 구분

화상은 국소 손상의 깊이에 따라 1~4도로 구분된다.

| | |
|---|---|
| 1도 | 화상 피부가 붉게 변하면서 국소열감과 동통을 수반한다. 물집은 생기지 않고 대부분 별다른 후유증 없이 낫는다. |
| 2도 | 화상피부의 진피층까지 손상된 상태로 물집(수포)이 생기고, 붓고, 심한 통증이 동반된다. 감염의 위험이 있으며, 상처가 다 나은 후에도 흉터가 남을 수 있다. 손상 깊이에 따라 표재성2도화상과 심부2도화상으로 나눈다.<br>· **표재성2도화상** : 진피의 일부만 손상된 상태로 상피 재생이 일어나면서 2주 정도면 회복된다.<br>· **심부2도화상** : 진피층의 대부분이 손상된 상태로 감염이 없을 경우에는 2~4주 후에 회복되며 흉터가 남는다. |
| 3도 | 화상 피부 전층이 손상된 상태로 피부색이 흰색 또는 검은색으로 변하며, 피부신경이 손상되어 통증이 느껴지지 않는다. |
| 4도 | 화상 피부 전층과 근육, 신경 및 뼈조직이 손상된 상태이다. |

# 필수 및 심화 문제

**필수문제**

**01 유아의 신체활동 참여 동기를 증진시키는 방법으로 적절하지 않은 것은?**

① 수행력 향상을 위해 역할모델을 활용한다.
② 쉬운 과제를 성취한 경우라도 칭찬해 준다.
③ 과제성취를 운에 의한 것으로 생각하도록 지도한다.
④ 성취경험의 빈도를 높이기 위해 과제 난이도를 조절한다.

▪ 유아들의 운동참여에 대한 동기부여의 기본은 유아들의 운동욕구방향을 정해서 자발적으로 무엇인가를 하고 싶다는 마음을 갖게 하는 것이다. 과제성취 여부를 운에 달린 것으로 생각하도록 지도해서는 안 된다.

**심화문제**

**02 유아체육 프로그램 목표에 대한 설명으로 옳지 않은 것은?**

① 다양한 신체활동을 통해 기본 운동기술을 이해한다.
② 원시반사를 소멸시킬 수 있는 기회를 제공한다.
③ 자신의 감정을 표현할 수 있는 기회를 제공한다.
④ 지각과 동작 간의 협응 과정을 통해 지각운동기술을 발전시킨다.

▪ 원시반사는 시간이 지나면 저절로 소멸된다.

**03 유아기의 심리적 특성을 고려한 지도방법으로 적절하지 않은 것은?**

① 차례를 오래 기다리지 않도록 한다.
② 복잡한 운동을 지속적으로 반복한다.
③ 규칙과 약속을 잘 지킬 수 있도록 한다.
④ 활동이 정적 위주로 진행되지 않도록 한다.

▪ 복잡한 운동을 반복하면 유아의 흥미를 떨어뜨린다.

**필수문제**

**04 유아체육 프로그램의 인지적 목표에 해당하는 것은?**

① 신체 움직임의 개념을 학습할 수 있다.
② 사물을 조작하는 기술을 습득할 수 있다.
③ 긍정적인 정서를 형성할 수 있다.
④ 협동기술을 습득할 수 있다.

▪ ②는 기술적 목표, ③은 정서적 목표, ④는 사회적 목표

정답 01 : ③, 02 : ②, 03 : ②, 04 : ①

■ ④ **탐구적 방법** : 유아가 스스로 움직임의 개념을 탐색하고 활동할 수 있도록 지도하는 방법임. 지도자가 운동과제나 질문을 제시하면 유아 스스로 여러 가지 해결방법을 찾도록 하는 것임.
■ ①은 상호 주도적 교수방법(p.78 참조).
■ ②는 교사 주도적 교수방법 중 과제 제시 방법임.
■ ③은 교사 주도적 교수방법 중 지시적 방법임.

**필수문제**

## 05 유아체육 지도 방법 중 '탐구적 방법'에 해당되는 내용으로 적절한 것은?

① 도입, 동작 습득, 창의적 표현, 평가의 단계별 활동 전개하기
② 학습환경에 자유와 융통성을 도입하여 더 많은 책임 부여하기
③ 시범 보이기, 연습해보기, 언급해주기, 보충 설명하기, 시범 다시 보이기
④ 동작 과제나 질문을 제시하고 유아들이 제안한 다양한 해결방법을 인정하고 받아들이기

**심화문제**

## 06 유아 대상의 운동 지도방법으로 적절하지 않은 것은?

■ 유아에게 체육을 지도할 때에는 어렵고 위험한 과제는 신체적 가이던스를 충분히 해주어야 한다.

① 자세한 설명보다는 시범을 자주 보여준다.
② 게임 파트너를 교대하며 다양한 변화를 준다.
③ 미디어를 활용하여 운동참여에 대한 관심을 유도한다.
④ 어렵고 위험한 과제에도 신체적 가이던스(physical guidance)를 자제한다.

## 07 체육수업 중 유아의 신체활동 참여시간을 증가시키는 방법으로 적절하지 않은 것은?

■ 유아들은 이해력이 높지 않고 순진무구하기 때문에 지시가 간단 명료해야 한다.

① 활동적 참여에 대해 정적 강화를 한다.
② 과제와 동작을 최대한 자세히 설명한다.
③ 수업 전에 교구를 배치하여 대기시간을 줄인다.
④ 일부 유아들이 어려워하는 활동이나 게임은 피한다.

## 08 영아기 신체활동 프로그램의 지도방법으로 가장 옳지 않은 것은?

■ 엄마가 젖을 먹이면서도 아기가 움직이게 만들어야 한다.

① 신체의 고른 발달을 도모한다.
② 너무 어린 아이이므로 먹을 것만 준다.
③ 엄마와 친밀감을 갖게 한다.
④ 신체 각 부위의 명칭을 알게 한다.

정답 05 : ④, 06 : ④, 07 : ②, 08 : ②

**09** **유아체육 프로그램을 지도할 때 유아의 흥미를 고려한 지도방법으로 옳은 것은?**

① 경쟁만을 유도하는 단계적 목표를 선정하여 프로그램을 구성한다.
② 정적인 운동을 중심으로 프로그램을 구성한다.
③ 수업의 규칙을 지키지 않아도 되는 프로그램을 구성한다.
④ 음악이나 도구를 활용하여 다양한 프로그램을 구성한다.

■ 프로그램이 다양해야 흥미를 느낀다.

**필수문제**

**10** **유아체육이 지도 원리와 설명으로 적절하지 않은 것은?**

① 표현성 원리 : 음악의 리듬에 맞추어 효과적인 표현지도
② 사회화 원리 : 소규모 집단으로 구성하여 지도
③ 연속성 원리 : 연령, 건강, 체력 등의 특성을 고려하여 지도
④ 흥미성 원리 : 흥미를 존중하여 학습 능력을 높이도록 지도

■ 연속성을 가지고 꾸준히 체육활동을 할 수 있도록 지도하는 원리가 연속성의 원리이다. 유아의 연령 · 건강 · 체력 등의 특성을 고려한 지도는 개별화 원리이다.

**심화문제**

**11** **유아 운동프로그램의 지도 원리로 적절하지 않은 것은?**

① 추상적인 것에서 시작하여 구체적인 것으로 운동을 지도한다.
② 유아 간 연령별 체력의 차이, 운동소질 및 적성의 차이를 고려하여 지도한다.
③ 기초체력, 기본운동기술과 지각운동의 발달이 통합적으로 이루어 지도록 지도한다.
④ 다양한 감각을 통해 구체적 경험이 형성되도록 프로그램을 구성하여 지도한다.

■ ① 유아 운동프로그램은 행동의 중심적인 목표 및 목적을 구체적으로 제시하여 운동을 지도해야 한다.
■ ②는 유아 운동프로그램의 지도원리 중 개별화의 원리임.
■ ③은 유아 운동프로그램의 지도원리 중 통합의 원리임.
■ ④는 유아 운동프로그램의 지도원리 중 융통성의 원리임.

**12** **유아기 운동발달 프로그램의 지도 원리에 대한 설명이다. 설명이 옳은 것은?**

① 생활 중심의 원리 : 일상생활에서 경험할 수 없는 활동을 지도
② 개별화의 원리 : 유아 개개인의 운동능력과 발달속도의 차이를 인정하는 지도
③ 탐구학습의 원리 : 유아가 움직임의 개념을 알도록 언어적으로 지도
④ 융통성의 원리 : 유아가 신체활동을 선택할 수 있도록 지도

■ 적합성 · 방향성 · 특이성 · 안전성 · 연계성 · 다양성의 원리가 있다. 특이성을 개별화라고도 한다.

**13** **유아체육 지도사가 갖추어야 할 바람직한 자세가 아닌 것은?**

① 유아의 눈높이에서 열린 마음으로 친절하게 지도한다.
② 정확한 동작을 하도록 지도하고, 창의적인 신체표현까지 할 수 있도록 충분한 시간을 준다.
③ 유아 개개인의 발달속도에 맞추어 개별적으로 지도한다.
④ 설정한 목표를 이룰 수 있도록 유아들을 독려한다.

■ 유아들은 스스로 할 수 있을 때까지 기다려 주어야 한다.

정답 09 : ④, 10 : ③, 11 : ①, 12 : ②, 13 : ④

## 14 유아체육 지도의 원리 중 옳지 않은 것은?

① 놀이 중심의 원리 : 유아의 흥미를 고려하여 다양한 운동도구를 활용한 프로그램에 참여
② 개별화의 원리 : 유아의 운동능력과 발달 속도에 따라 체육활동을 경험
③ 반복의 원리 : 안정, 이동, 조작운동의 3가지 기초운동 반복학습
④ 융통성의 원리 : 기초운동기술, 운동능력, 지각-운동능력의 발달이 통합적으로 이루어지게 함

■ 유아가 신체활동 시간을 스스로 결정할 수 있도록 해야 한다는 것이 융통성의 원리이다.

## 15 유아체육의 지도원리가 아닌 것은?

① 놀이중심의 원리
② 개별화의 원리
③ 반복학습의 원리
④ 점진성의 원리

■ 유아체육에서 점진성의 원리는 없다. 어제 못하던 것도 오늘 다른 것을 하여 보면 아주 잘하는 경우가 많기 때문이다.

## 16 보기에서 설명하는 유아체육의 지도 원리는?

» 대근육 운동능력 중 안정과 이동의 기초운동기술, 협응과 균형의 운동능력, 공간과 방향의 지각-운동능력 발달이 이루어지도록 한다.
» 과거 경험, 현재 흥미의 고려는 물론 다양한 문화적 경험을 할 수 있도록 한다.

① 통합의 원리
② 개별화의 원리
③ 반복학습의 원리
④ 탐구학습의 원리

■ 운동능력이 통합적으로 발달할 수 있도록 지도하는 것이 통합의 원리이다(p. 77 참조).

**필수문제**

## 17 보기의 대화에서 지도자가 활용한 유아체육 교수방법은?

보기
지도자 : 제자리에서 공을 앞으로 멀리 던져볼까?
아 동 : 어떻게 하면 공을 멀리 보낼 수 있어요?
지도자 : 공을 던지는 팔은 뒤로 하고 반대쪽 발은 앞으로 나가야 해.
아 동 : 그럼 몸통도 같이 돌아가요. 손을 뒤로 많이 하니까 공이 더 멀리 가요.
지도자 : 멋진 걸 발견했구나!

① 결과 중심 교수방법
② 교사 주도적 교수방법
③ 유아 주도적 교수방법
④ 유아-교사 상호 주도적 · 통합적 교수방법

■ 유아-교사 상호주도적 통합 교수방법은 유아의 흥미에 근거한 교수방법과 교사 주도의 교수방법을 균형적으로 연결해주는 방법이다(p. 78 참조).

정답 14 : ④, 15 : ④, 16 : ①, 17 : ④

**심화문제**

## 18 유아-교사 상호주도적 통합교수방법에 대한 설명으로 옳은 것은?

① 유아가 어떤 활동이든 똑같이 반복할 수 있도록 지도
② 유아가 무엇을, 언제, 어떻게 할 것 인가를 교사가 주도적으로 결정
③ 운동선택 결정 기회를 전적으로 유아에게 부여하고, 운동도구나 소도구를 자유롭게 이용
④ 유아의 흥미와 교사의 체계적인 접근방법이 균형을 이룸

## 19 유아체육 지도방법 중에서 유아-교사 상호 주도적 교수방법에 대한 설명이다. 틀린 것은?

① 교사 주도의 학습지도법과 유아 흥미위주의 학습지도법을 균형적으로 이용하는 방법이다.
② 도입 단계 → 동작습득 단계 → 창의적 표현 단계 → 평가 단계로 학습활동이 전개된다.
③ 동작습득 단계에서는 체육활동의 기본요소를 탐색하고 기본동작을 연습할 수 있는 기회를 제공한다.
④ 창의적 표현 단계에서는 탐색한(습득한) 동작을 바탕으로 일반화시켜서 표현할 수 있도록 한다.
⑤ 도입 단계는 유아가 배우고 싶은 운동을 선택하는 단계이다.

■ 도입 단계는 지도자가 앞으로의 학습활동을 안내하는 것이다.

**필수문제**

## 20 직접-교사 주도적 교수방법에 관한 설명으로 옳지 않은 것은?

① 지시적 방법과 과제제시 방법으로 나뉜다.
② 지시적 방법은 지도사의 시범과 설명이 주로 이루어진다.
③ 과제제시 방법은 유아에게 의사결정을 허용하지 않는다.
④ 대 그룹 활동을 지도할 때 효과적이다.

■ 직접-교사 주도적 교수방법은 교사가 제시한 과제 중에서 일부를 유아가 선택해서 해결하는 것이다.

**심화문제**

## 21 유아체육 지도방법 중에서 유아주도적 방법에 대한 설명이다. 틀린 것은?

① 활동이나 운동을 선택하는 기회를 유아에게 준다.
② 유아 개개인의 능력이나 흥미의 차이를 인정한다.
③ 유아 스스로 독창성을 발휘하여 자기 발견 학습을 하게 한다.
④ 학습의 결과를 중시하는 지도방법이다.

■ 유아주도적 방법은 학습의 결과보다 과정을 중시하는 지도방법이다.

**정답** 18 : ④, 19 : ⑤, 20 : ③, 21 : ④

■ 획일적인 것에서 창의적인 것이 나올 수 있을까?

**22** 유아의 창의적 동작표현력을 향상시키기 위하여 이용되는 동작교수법이 아닌 것은?

① 획일적 접근방법 ② 리듬적 접근방법
③ 신체적 접근방법 ④ 통합적 접근방법

■ 실제학습시간(ALT: academic learining time) : 교사가 학업적 과제에 참여하는 시간이 아니고 학습자가 수업내용에 참여하여 소비한 시간. 유아들은 이해력이 높지 않고 순진하기 때문에 지시나 동작에 대한 시범은 간결하고 명료하게 해야 한다.

**필수문제**

**23** 신체활동 프로그램에서 실제학습시간(Academic Learning Time: ALT)을 증가시키는 전략으로 적절하지 않은 것은?

① 설명은 간결하고 명확하게 한다.
② 동작에 대한 시범을 위해 오랜 시간을 할애한다.
③ 주의집중을 위해 상호 간에 약속된 신호를 만든다.
④ 수업 시작 전 교구를 효율적으로 배치한다.

**심화문제**

**24** 체육수업 중 유아의 실제 과제참여 시간을 증가시키는 방법은?

■ 체육수업장비와 기구를 충분히 제공하면 유아의 흥미를 유발시켜 참여시간을 늘릴 수 있다.

① 장비와 기구를 충분히 제공해 준다.
② 기구의 안전관리 점검을 실시한다.
③ 운동기구는 활동마다 재배치한다.
④ 언어적 지시는 최대한 자세히 한다.

**25** 유아에게 가장 적합한 운동시간은?

■ 유치원의 수업시간은?

① 1회 수업 시 1시간 이상 ② 1회 수업 시 3시간 이상
③ 1회 수업 시 20~40분 ④ 1회 수업 시 10분 이내

**필수문제**

**26** 유아체육 지도 방법과 해당 설명의 연결이 올바르지 않은 것은?

① 지시적 방법 – 시범 보이기, 연습해보기, 일반적인 언급해주기, 보충설명과 시범 다시 보이기
② 안내 발견적 방법 – 올바른 동작 방법을 제시하고 자유롭고 창의적으로 표현하게 하기
③ 탐구적 방법 – 동작 과제나 질문을 제시하고 유아들이 제안한 다양한 해결방법을 인정하고 받아들이기
④ 과제제시 방법 – 동작을 위해 지도자나 또래의 활동을 관찰함으로써 과제수행 방법을 이해시키기

■ 과제제시 방법은 유아가 해야 할 행동이나 활동방법을 지도자가 정하지만, 유아에게 어느 정도 의사결정을 허용하는 방법이다.

정답 22 : ①, 23 : ②, 24 : ①, 25 : ③, 26 : ④

필수문제

**27 발달 목표별로 운동발달 프로그램의 지도방법을 예로 든 것이다. 틀린 것은?**

① 기초체력의 발달 : 근지구력 향상에 중점을 둔다.
② 신체지각 발달 : 신체 각 부위의 활동과 중요성 알기를 지도한다.
③ 공간지각 발달 : 신체가 공간에서 차지하는 비중을 알 수 있도록 지도한다.
④ 시각 발달 : 시력이 더 좋아지는 방법을 지도한다.

■**시각 발달** : 거리 · 길이 · 높이를 판단하는 능력과 물건의 형태를 구별할 수 있는 능력을 기르는 것.

심화문제

**28 유아기 운동발달 프로그램의 지도원칙에 대한 설명이다. 틀린 것은?**

① 가정과 긴밀한 연락을 유지한다.
② 발달단계에 알맞은 지도를 한다.
③ 신체적 기능뿐만 아니라 지적 · 정서적 · 사회적 능력과 모두 연관이 있다는 것을 고려한다.
④ 한 가지 운동능력이 잘 발달되도록 집중적으로 지도한다.

■유아들은 어떤 운동을 마스터하려고 배우는 것이 아니다.

**29 기술수준의 초급단계에서 추구하지 않는 것은?**

① 발견 ② 인식
③ 세련 ④ 탐색

■세련은 상급단계에서 추구한다.

**30 다음 중 유아체육을 지도할 때 반드시 고려해야 할 것은?**

① 객관성 ② 전문성
③ 효율성 ④ 흥미성

■아이들이 재미없어 하면 아무것도 안 된다.

필수문제

**31 유아체육 지도자의 역할로 적절하지 않은 것은?**

① 호기심을 자극하고, 반응에 관심을 보이며 지도한다.
② 이기는 것이 제일 중요하다는 것을 강조하며 지도한다.
③ 주제와 장소를 고려하여 적절한 장비를 선택하며 지도한다.
④ "해보자!", "해보지 않겠니?" 등의 권유형 언어를 사용하여 지도한다.

■유아체육 지도자의 역할은 사회성을 함양하고, 호기심을 자극하여 균형있는 발달을 유도하는 것이다.
■이기는 것이 중요하다고 강조하는 것은 바람직하지 않다.

정답 27 : ④, 28 : ④, 29 : ③, 30 : ④, 31 : ②

**심화문제**

■ 경쟁과 결과를 강조하는 지도는 잘못된 방법이다. 유아체육지도자는 객관적인 입장에서 유아들이 사회성을 가지고 스스로 해결할 수 있도록 중재하는 역할이 중요하다.

**32** **3~4세 유아의 체육활동에서 진행 통제가 어려운 경우 지도자의 역할로 적절하지 않은 것은?**

① 경쟁과 결과를 강조하는 진행자 역할
② 서로 다투는 유아를 위한 중재자 역할
③ 뜀틀을 무서워하는 유아의 수행을 위한 보조자 역할
④ 언어적 지시를 이해하지 못하는 유아에게 시범을 보여주는 안내자 역할

**33** **유아체육 수업을 할 때 신체활동 시간을 증가시키기 위한 전략으로 가장 좋은 것은?**

① 어려운 활동이나 게임을 한다.
② 자세하게 설명해주고 시범은 여러 번 보인다.
③ 간결 · 명료하게 지시한다.
④ 천천히 활동하도록 유도한다.

**필수문제**

■ 자존심만 있으면 유아들을 잘 가르칠 수 있나?

**34** **유아체육 지도사가 갖추어야 할 전문적 자질과 거리가 가장 먼 것은?**

① 유아에 대한 전문적인 지식
② 일반교양에 관한 지식
③ 유치원 교육과정에 대한 이해
④ 긍정적인 자아개념

**심화문제**

■ 수용적인 태도를 갖는 것은 갖추어야 할 덕목이지 자질을 향상시키는 방법은 아니다.

**35** **유소년스포츠지도사의 전문적 자질을 향상시키는 방법으로 가장 적절하지 않은 것은?**

① 유소년스포츠지도사 자격증을 취득한다.
② 유소년스포츠지도사 연수과정에 참여한다.
③ 아동의 안전사고에 대비하여 필요한 지식을 습득한다.
④ 아동에 대한 수용적인 태도를 지닌다.

■ 대기시간을 늘리면 언제 활동하나?

**36** **유아의 신체활동 시간을 증가시키기 위한 전략으로 옳지 않은 것은?**

① 발육발달 수준에 맞는 신체활동 프로그램을 전개한다.
② 기술을 연습할 수 있도록 대기시간을 늘린다.
③ 활동적으로 참여하는 것에 대해 긍정적인 피드백을 제공한다.
④ 유아들의 흥미를 유발할 수 있는 다양한 활동을 제공한다.

정답 32 : ①, 33 : ③, 34 : ④, 35 : ④, 36 : ②

**필수문제**

**37 유아들에게 기구를 이용하는 운동을 지도할 때 좋지 못한 방법은?**

① 기구탐색, 활용법, 응용법 등 여러 가지 형태의 운동을 제시한다.
② 기구 사용에 필요한 선행운동을 할 필요는 없고 평소와 같이 준비운동을 한다.
③ 안전에 유의해야 한다.
④ 유아의 체력을 고려하여 체계적이고 계획적으로 지도한다.

**심화문제**

**38 유아체육 활동 시 안전을 위한 고려사항이 아닌 것은?**

① 발달 수준에 적합한 운동 기구 선택
② 도구 사용법이나 운동방법에 대한 사전교육
③ 위험한 장소에서 운동수행
④ 운동 전 · 후에 올바른 준비 · 정리 운동 실시

**39 유아들의 운동을 시작하기 전에 반드시 고려해야 할 사항이 아닌 것은?**

① 신체 상태의 점검
② 준비 운동
③ 복장
④ 식후 경과 시간
⑤ 샤워나 목욕

■ 샤워나 목욕은 운동 후에 고려해야 할 사항이다.

**필수문제**

**40 유아체육수업의 환경 조성에 관한 설명으로 적절하지 않은 것은?**

① 유아가 선호하는 하나의 교구만을 배치한다.
② 다양한 감각 자극을 제공할 수 있는 환경을 조성한다.
③ 유아가 자유롭게 몸을 움직일 수 있도록 충분한 공간을 확보한다.
④ 적절한 교구 배치를 통해 효과적 지도가 가능한 환경을 조성한다.

■ 유아체육을 지도할 때 환경 설정의 기본은 안전성, 흥미성, 효율성(필요성), 경제성이다. 유아가 선호하는 하나의 교구만을 배치해서는 유아의 흥미성을 제고할 수 없다.

정답 37 : ②, 38 : ③, 39 : ⑤, 40 : ①

필수문제

**41 유아체육 지도 시 안전한 지도와 가장 거리가 먼 것은?**

① 유아는 신경계통의 기능이 미숙하여 힘이나 속도를 제어하는 것이 서툴다는 것을 이해한다.
② 유아는 판단능력이 미숙하여 위험한 행동을 흉내 내기도 한다는 것을 이해한다.
③ 유아는 자발적으로 신체를 움직인다는 것을 이해한다.
④ 유아는 안전에 대한 불감증 때문에 사고에 자주 노출된다는 것을 이해한다.

■ 위험하다는 것을 알면서도 시정하지 않는 것이 안전에 대한 불감증이다.

심화문제

**42 실외 수업 시 유의사항 중 잘못된 것은?**

① 교육에 앞서 안전교육을 먼저 실시한다.
② 유아의 몸 상태나 날씨는 고려하지 않고 수업을 진행한다.
③ 수업이 끝난 다음에는 놀이 시설과 기구를 깨끗하게 정리 · 정돈하는 습관을 지도한다.
④ 유아의 발달수준을 고려하여 다양한 수준으로 수업을 설계하고 진행한다.

**43 유아 발달에 적합한 실내 · 외 지도 환경에 대한 설명으로 적절하지 않은 것은?**

① 활동성을 고려해 좁은 공간을 확보하는 것이 바람직하다.
② 공간의 구성은 놀이 형태와 지속시간에 영향을 준다.
③ 놀이 공간과 놀이 교구는 유아의 놀이에 영향을 미친다.
④ 발달과 학습을 유도할 수 있는 환경을 의도적으로 구성해야 한다.

■ 유아의 활동성을 고려해 넓은 공간 확보가 바람직하다.

필수문제

**44 유아 운동 지도 시 교구배치 방법과 그 효과에 대한 설명으로 적절하지 않은 것은?**

① 공간 활용성을 높인 교구배치로 안전사고를 예방한다.
② 시각적 효과를 높인 교구배치로 학습자의 시선을 분산한다.
③ 순환식 교구배치로 대기시간을 줄여 실제학습시간을 늘려준다.
④ 병렬식 교구배치로 교구 사용을 반복하여 자신감을 갖도록 유도한다.

■ **교구배치 방법**
· 교구는 공간 활용성을 높여 안전사고를 예방할 수 있도록 배치해야 한다.
· **시각적 효과를 높인 배치** : 여러 가지 기구를 배치하여 도구로 사용함으로써 학습자의 시선을 집중시켜 만족감을 높인다.
· **순환식 배치** : 여러 가지 기구를 한꺼번에 접할 수 있도록 배치함으로써 대기시간을 줄여 실제 학습시간을 늘린다.
· **병열식 배치** : 여러 가지 기구를 한꺼번에 접하는 부담을 줄이기 위한 배치방법으로, 교구 사용을 반복함으로써 자신감을 갖게 한다.

심화문제

**45 다음 중 운동기구 배치 유형이 아닌 것은?**

① 병렬식 배치 ② 순환식 배치
③ 시각적 효과의 배치 ④ 청각적 효과의 배치

정답 41 : ④, 42 : ②, 43 : ①, 44 : ②, 45 : ④

**46** **유아에게 일어날 수 있는 우발적인 사고를 예방하기 위한 두 가지 접근방법으로 옳은 것은?**

① 환경적 요인 변화 – 유아의 행동 변화
② 교사의 행동 변화 – 부모의 행동 변화
③ 환경적 요인 변화 – 교사의 행동 변화
④ 부모의 행동 변화 – 유아의 행동 변화

■ 우발적인 사고는 환경적 요인 때문에 생긴다.

**47** **유아를 위한 교재 · 교구의 선정 원칙으로 옳지 않은 것은?**

① 안전성 ② 적합성
③ 소모성 ④ 확장성

■ 유아체육에서 교재 · 교구를 선택할 때는 안전성, 적합성, 경제성, 확장성 등을 고려해야 한다.

**48** **유아 운동프로그램의 교구 중 대도구에 포함되지 않는 것은?**

① 매트 ② 철봉
③ 평균대 ④ 후프

■ 대도구 : 매트, 뜀틀, 철봉, 평균대, 허들 등

**필수문제**

**49** **신체활동 중 응급 상황 시 행동요령 순서로 옳은 것은?**

① 응급상황인지→도움유무결정→구급차 호출→부상자 진단→응급처치 실시
② 응급상황인지→부상자진단→도움유무결정→응급처치실시→구급차 호출
③ 응급상황인지→도움유무결정→부상자진단→구급차 호출→응급처치실시
④ 응급상황인지→부상자진단→응급처치실시→도움 유무결정→구급차 호출

■ 맨 먼저 도움을 받을 수 있는지 확인하고, 119에 연락한 다음 자신의 능력에 따라 응급구조활동을 전개해야 한다.

**심화문제**

**50** **응급처치의 기본원칙에 어긋나는 것은?**

① 배우지 않은 응급처치 방법이더라도 급하므로 일단 시행하고 본다.
② 호흡정지나 호흡곤란이 있는지 먼저 확인해야 한다.
③ 충격을 예방하고 신속하게 119에 연락한다.
④ 사고현장을 잘 관찰하거나 목격자에게 물어서 사고원인을 알아낸다.

■ 자신의 수준에 맞는 응급처치 이상을 하면 법률 위반이다.

**51** **유아가 외상으로 머리를 다쳤을때, 일반적으로 나타나는 증상으로 적절하지 않은 것은?**

① 먹은 것을 내뿜듯이 토한다.
② 평소보다 잠의 양이 눈에 띄게 늘어난다.
③ 식욕이 왕성해지고 신체활동량이 증가한다.
④ 평소와 달리 아이가 늘어지거나 칭얼거리며 보챈다.

■ 유아가 머리를 다치면 신체활동량이 감소하고 식욕이 줄어든다.

정답 46 : ①, 47 : ③, 48 : ④, 49 : ①, 50 : ①, 51 : ③

■ 부상을 입은 발목은 심장보다 높게 놓고 안정을 취해야 한다.

**52 발목부상의 처치과정에 대한 설명으로 옳지 않은 것은?**

① 휴식(rest) : 부상부위를 고정하고 안정을 취한다.
② 얼음찜질(ice) : 부상부위에 얼음주머니를 대고 붕대를 감는다.
③ 압박(compression) : 탄성붕대를 이용하여 압박한다.
④ 거양(elevation) : 다리를 심장보다 낮게 놓고 안정을 취한다.

■ **독감** : 인플루엔자 바이러스가 상기도에 침입하여 일으키는 바이러스 감염증의 호흡기질환
■ **근육경련** : 근육피로, 기후 변화, 준비운동 부족 등에 의하여 근육에서 일어나는 경련
■ **화상** : 불, 뜨거운 물, 화학물질 등에 의해 피부 및 조직이 손상된 것(p. 82 '화상의 구분' 참조)

**필수문제**

**53 보기가 설명하는 질환은?**

보기
» 주로 생후 6개월~5세 사이의 영유아에게서 발생한다.
» 자기 올라간 고열과 함께 경련을 일으킨다.
» 주된 원인으로 고열, 뇌 손상, 유전적인 요인 등이 거론된다.

① 독감 ② 2도 화상
③ 열성경련 ④ 근육경련

정답 52 : ④, 53 : ③

# MEMO

# MEMO